UNIDA COM A FERA

PROGRAMA INTERESTELAR DE NOIVAS ®:
LIVRO 6

GRACE GOODWIN

1

*S*arah, *Centro de Processamento Interestelar de Noivas, Terra*

As MINHAS COSTAS estavam pressionadas contra uma superfície lisa e dura. Contra a minha testa estava algo igualmente duro, mas a sensação que eu sentia ao acariciar as palmas das minhas mãos sobre isso era de calor. Eu conseguia sentir os batimentos cardíacos sob a pele encharcada de suor, conseguia ouvir o retumbar prazeroso no seu peito. O seu dente mordiscava o ponto onde o meu ombro se encontrava com o meu pescoço, a sensação era aguda e com uma pitada de dor. Um joelho empurrou minhas pernas, separando-as, e os meus dedos dos pés mal tocavam o chão. Eu estava presa de uma maneira tão *boa* entre um homem, um homem enorme e ávido, e uma parede.

Mãos deslizaram pela minha cintura e subiam até envolver os meus seios e puxar os meus mamilos já endurecidos. O meu corpo se derreteu sob o seu toque habilidoso e eu estava grata por aquela parede e pela forma firme como ele me agarrava. Suas mãos foram subindo, levantando os meus braços até ele segurar ambos os meus pulsos com uma mão bem grande e forte e mantê-los no lugar, sobre a minha cabeça. Eu estava total e verdadeiramente presa. Eu não queria saber. Eu deveria, visto que eu não gostava de ser tratada com violência, mas isto... oh, céus, isto era diferente.

Isto era tão bom quanto uma foda-contra-a-parede.

Eu não queria pensar em estar no controle, em saber o que viria a seguir. Eu simplesmente sabia que o que quer que ele fizesse, eu queria mais. Ele era selvagem, indomável e agressivo. A pressão do seu pênis grosso era quente contra a parte interna das minhas coxas.

— Por favor. — implorei.

— A tua boceta está tão molhada que pinga na minha coxa.

Eu conseguia sentir o quão escorregadia estava, o meu clítoris pulsava, as minhas paredes internas se comprimiam numa antecipação ávida.

— Quer que o meu pau te preencha?

— Sim. — gritei, acenando com a minha cabeça contra a superfície dura.

— Disse mais cedo que nunca se submeteria.

— Eu vou. Eu vou. — arfei, indo contra tudo aquilo que eu conhecia. Eu não me submetia a ninguém. Erguia-me sobre os meus dois pés, e me defendia com os meus próprios punhos e com palavras afiadas. Não permitia que *ninguém* me dissesse o que fazer. Eu já tinha aturado isso demais com a minha família e já não iria tolerar mais. Mas este homem... com ele, eu lhe daria qualquer coisa, até mesmo a minha submissão.

— Vai fazer conforme eu digo? — A sua voz era áspera e profunda, uma mistura entre macho dominador e excitado.

— Eu vou, mas por favor, *por favor*, me fode.

— Ah, eu adoro ouvir essas palavras vindas da tua boca. Mas você sabe que vai ter que acalmar o animal que há em mim, a minha febre. Eu não vou simplesmente te foder uma só vez. Vou te foder uma vez e outra, duro e grosso, tal como você precisa. Vou te fazer gozar tantas vezes que não vai se lembrar de nenhum outro nome além do meu.

Então eu gemi. — Faça. Me toma. — Suas palavras eram tão indecentes que eu deveria ter ficado mortificada, mas só me deixaram mais excitada. — Preencha-me. Eu posso acalmar a tua febre. Eu sou a única que consegue.

Eu nem sequer sabia o que isso significava, mas eu *sentia* que era verdade. Eu era a única que podia apaziguar a fúria ansiosa que estava dentro dele, que conseguia sentir a espreita por detrás do seu toque gentil, dos seus lábios suaves. Foder era um escape para a sua intensidade e era o meu dever, o meu papel, ajudá-lo. Não que fosse um fardo, eu estava desesperada para que ele me fodesse. Talvez eu também tivesse a febre.

Ele segurou-me como se eu não pesasse nada, as minhas costas se arquearam devido à forma como ele agarrava os meus pulsos, os meus seios foram empurrados para fora como se estivessem a oferecer enquanto eu me esgueirava para me aproximar, para forçá-lo a me encher.

— Coloca as tuas pernas em volta de mim. Se abra e me dê aquilo que eu quero. Me ofereça. — Ele mordeu gentilmente na curva do meu ombro e eu choramingui por carência enquanto o seu peito enorme se esfregava nos meus mamilos sensíveis e a sua coxa dava um empurrão mais elevado, obrigando-me a montá-lo, empurrando contra o meu clitóris sensível numa investida implacável que me fez perder o controle.

Utilizando o seu poder de influência sobre mim, levantei as minhas pernas e me curvei contra ele até sentir a cabeça do seu pênis na minha entrada. Assim que o tive onde eu queria, cruzei os tornozelos logo acima da curva do seu traseiro musculoso e tentei puxá-lo para mais perto, para me empalar, mas ele era grande demais, forte demais, e eu gemia de frustração.

— Diga, parceira, enquanto eu te preencho com o meu pau. Diga o meu nome. Diga o nome daquele cujo pau te preenche. Diga o nome do único ao qual te vai se submeter. Diga.

O seu pênis me cutucou, abrindo bastante os meus lábios vaginais, esticando-me enquanto me abria. Eu conseguia sentir a dureza e o calor da coisa. Conseguia sentir o cheiro almiscarado da minha excitação, da foda. Conseguia sentir a boca dele chupar a pele sensível do meu pescoço. Conseguia sentir a força de aço do seu punho onde me mantinha no lugar e a parede sólida atrás de mim, não me permitindo escapar do domínio do seu corpo que investia contra mim. Podia sentir o seu corpo poderoso enquanto eu o agarrava com as minhas coxas. Sentia o movimento dos músculos do seu traseiro enquanto ele me empurrava.

Inclinei a minha cabeça para trás e gritei o seu nome, o único nome que significava tudo para mim.

— Srtª Mills.

A voz era suave, tímida até, não era a voz *dele*. Ignorei e pensei na forma como o pênis dele me preenchia. Nunca tinha sido esticada de forma tão grande antes e o ligeiro ardor misturado com o prazer daquela cabeça larga deslizando sobre os lugares mais sensíveis dentro de mim.

— Srtª Mills.

Senti uma mão no meu ombro. Fria. Pequena. Não era a mão dele porque as mãos dele se moveram para o meu traseiro no sonho, apertando e comprimindo enquanto ele se afundava em mim, prendendo-me contra a parede.

Assustei-me, acordando e afastei o meu braço do toque de uma pessoa estranha. Piscando algumas vezes, percebi que a mulher que estava diante de mim era a Guardiã Morda. Não era o homem do sonho. Oh, céus, tinha sido um sonho.

Arfei e tentei recuperar o fôlego enquanto olhava para ela.

Ela era a realidade. A Guardiã Morda estava comigo nesta sala. Eu não era fodida por um macho dominador com um pênis enorme, ouvindo as palavras de um amante exigente. Ela tinha a expressão de um gato com prisão de ventre e foi talvez o olhar no meu rosto que a fez dar um passo para trás. Como é que ela se atrevia a interromper *aquele* sonho? Foi o melhor sexo que eu já tive e nem cheguei perto disso. Caramba, isto é que era um sonho escaldante. Eu nunca tinha tido sexo de bater cabeça e ir contra a parede, mas agora eu queria. As minhas paredes internas se comprimiram, lembrando da sensação daquele pênis em mim. Os meus dedos coçaram de vontade de agarrar os seus ombros novamente. Eu queria trancar os meus tornozelos ao redor da cintura dele, enfiar os meus calcanhares no seu traseiro.

Isto era uma loucura, um sonho sexual. Agora, aqui. Céus, era quase mortificante se não tivesse sido tão real. Não, *foi* mortificante porque era para eu ser preparada para a linha de frente da Aliança, e não para um trabalho como estrela pornô. Presumi que o processamento significava um exame médico, um implante anticoncepcional, talvez uma avaliação de saúde mental. Eu já tinha feito parte do exército, mas não no espaço. Quão diferente poderia ser? Que tipo de processamento é que a Aliança tinha para me obrigar a entrar num filme pornográfico no meu próprio sonho? Será que isso era por eu ser mulher? Queriam garantir que eu não saltaria em cima de um colega soldado? Aquilo era ridículo, mas que outra razão poderiam ter para me provocar aquele sonho escaldante?

— O quê? — Ladrei, ainda irritada por ter sido arrancada daquele prazer, envergonhada por ela ter me apanhado quando eu estava tão emocionalmente vulnerável.

Ela recuou, claramente não estava habituada com os hábitos ríspidos dos novos recrutas. Estranho, já que ela lidava com eles diariamente. Ela *tinha* dito que era nova no seu papel aqui no centro de processamento, mas o quão nova eu não sabia. Com a sorte que eu tinha, aquele era provavelmente o seu primeiro dia.

— Lamento tê-la incomodado. — A voz dela era dócil. Ela me fazia lembrar um rato. Tinha cabelos castanhos escuros, lisos e longos. Não utilizava maquiagem, o seu uniforme fazia-a parecer amarelada. — Os seus exames estão concluídos.

Franzindo a testa, olhei para baixo, para mim mesma. Sentia-me como se estivesse no consultório do médico com uma bata de estilo hospitalar com o logotipo vermelho repetido num padrão no material áspero. A cadeira era como uma do dentista, mas as correias nos pulsos eram um detalhe indesejável. Eu puxei-as, testando a sua força, mas elas não cederam. Eu estava presa. Não era uma sensação que eu gostava, no geral. Fez-me pensar no sonho em que ele tinha me prendido as mãos sobre a cabeça, mas que eu tinha gostado. Imensamente. Excetuando o fato de ele ter me obrigado a dizer que me queria submissa, para lhe dar controle. Não fazia sentido porque eu *detestava* dar controle a alguém. Eu conduzia quando saía com amigos. Eu organizava festas de aniversário. Eu é que costumava fazer as compras para a minha família. Eu tinha um pai e três irmãos, todos mandões. Embora me tivessem criado para ser tão mandona quanto eles, eles nunca me deixaram dizer-lhes o que fazer. Eles me importunavam, provocavam, afastavam qualquer rapaz que estivesse minimamente interessado em mim. Eles tinham ido para o exército e eu também. Eu ansiava tanto pelo controle quanto eles.

Agora, com estas malditas correias, sentia-me presa. Encurralada, sem escapatória. Olhei para a Guardiã.

Os ombros dela afrouxaram, fazendo-a encolher um centímetro ou dois.

— Os meus exames acabaram? Não está interessada em saber sobre a minha precisão com armas de fogo? Combate corpo a corpo? Habilidades de pilotagem?

Ela lambeu os lábios e limpou a garganta. — As suas... habilidades são impressionantes, tenho certeza, mas a menos que fizessem parte dos exames que acabou de fazer, então... não.

Eu tinha inúmeras habilidades em combate, tinha anos de experiência, provavelmente mais do que a maioria dos recrutas da Aliança. O que eu entendia era que todos os exames eram realizados através de simulações como a que eu tinha acabado de experienciar, o que era estranho, mas talvez mais rápido do que ver soldados mostrar o seu valor no campo de tiro ou numa aeronave de verdade. Será que o sonho sexual era algum tipo de exame novo? Eu não era nenhuma ninfomaníaca, mas também não diria não a um homem gostoso se aparecesse o certo. Mas eu sabia que havia uma grande diferença entre o quarto e o campo de combate. Por que se importariam com as minhas inclinações sexuais? Será que eles achavam que uma mulher humana seria incapaz de resistir a um extraterrestre gostoso? Raios, eu tinha estado perto de homens alfa gostosos durante a maior parte da minha vida. Resistir-lhes não seria um problema.

Ou será que eles estavam tentando provar que havia algo de errado comigo, que eu tinha evocado uma mulher a ser dominada e encostada contra uma parede por um tipo ávido e bem dotado? Ele não tinha sido violento. Não tive medo dele. Eu ansiei por ele. Eu *implorei-lhe* por mais. Não tinha havido explosões, a não ser que se considerasse o fato de eu quase ter gozado quando ele se afundou em mim. Apertei novamente os meus músculos pélvicos, a vividez do sonho fazia-me desejar o calor do sêmen do enorme homem que me enchia.

Agora, foi a minha vez de limpar a garganta.

Uma batida brusca na porta fez com que a Guardiã girasse os seus saltos com sola de borracha.

Entrou outra mulher vestida com um uniforme idêntico, mas ela vestia-o com muito mais confiança e com uma atitude que demonstrava que tinha mais conhecimento.

— Srtª Mills, eu sou a Guardiã Egara. Vejo que já terminou os seus exames. — A Guardiã Egara tinha cabelos castanho escuros, olhos cinzentos e o porte de uma bailarina. Os seus ombros estavam alinhados, o seu corpo estava em forma e ereto. Tudo nela gritava: educada, confiante e refinada. Exatamente o oposto do bairro onde eu tinha crescido. A Guardiã olhou para o tablet que ela carregava com ela. Presumi que o aceno de cabeça dela indicava que estava satisfeita, mas a sua expressão era cuidadosamente treinada e não revelava nada.

Eu quis ter metade do comedimento dela enquanto sentia uma feroz carranca se esboçando no meu rosto. — Há algum motivo para eu estar acorrentada a esta cadeira?

A última coisa de que eu me recordava era de estar sentada do outro lado da pequena hamsterzinha – que agora tinha praticamente se acovardado ao lado da Guardiã confiante – e de tomar um pequeno comprimido da mão dela. Eu engoli-o enquanto tomava um copo de papel cheio d'água. Estava nua por debaixo da minha bata – eu conseguia sentir o meu traseiro nu contra o plástico duro – e presa. Se eu tinha que vestir qualquer coisa, não deveria ser esta bata hospitalar ridícula, mas sim, um uniforme de guerreira para a minha admissão como combatente da Aliança.

A Guardiã olhou para mim e ofereceu-me um sorriso eficiente. Tudo nela parecia ser profissional, ao contrário da hamsterzinha.

— Algumas mulheres têm reações fortes aos exames. As correias são para garantir a sua própria segurança.

— Então, não se importa de as retirar agora?

Eu sentia-me fora de controle com os braços presos. Se houvesse algum tipo de perigo, eu poderia dar um pontapé ao atacante desde que minhas pernas estivessem livres, mas eles certamente ficariam com os olhos abertos quando eu levantasse a minha perna.

— Não até terminarmos. São os protocolos. — ela acrescentou, se é que isso faria alguma diferença.

Ela sentou-se do outro lado da maca, diante de mim, a hamsterzinha ficou mais aliviada ao sentar-se ao lado dela.

— Temos algumas perguntas padrão para podermos prosseguir, Srtª Mills.

Tentei não revirar os olhos, mas eu sabia que o exército tinha uns chatos no que dizia respeito à papelada e organização. Eu não deveria me surpreender por uma organização militar composta por mais de duzentos planetas membros ter alguns arcos sobre os quais eu teria de saltar. A minha admissão ao exército dos E.U.A. tinha tido vários dias de preenchimento de papelada, e isso era para um país pequeno, num pequeno planeta azul entre centenas de outros. Céus, eu teria sorte se os procedimentos da Aliança dos alienígenas não levassem dois meses.

— Muito bem — respondi, ansiosa por ir rápido com isto. Eu tinha um irmão para encontrar e o tempo era escasso. Cada segundo que eu estava aqui, presa na Terra, era outro segundo em que o meu irmão louco e infernal poderia fazer algo estúpido e acabar morto.

— O seu nome é Sarah Mills, certo?

— Sim.

— Você não é casada.

— Não.

— Não teve filhos?

Agora sim, revirei os olhos. Eu não me voluntariaria para o serviço militar ativo, no espaço, lutando contra a aterradora Colmeia, se eu tivesse filhos. Eu estava prestes a assinar na linha pontilhada para um destacamento de dois anos e nunca deixaria crianças para trás. Nem mesmo pela promessa que fiz ao meu pai no seu leito de morte.

— Não. Eu não tenho filhos.

— Muito bem. Foi emparelhada com o planeta Atlan.

Eu franzi a testa. — Isso não fica nem perto da linha da frente. — Eu *sabia* onde a luta acontecia porque os meus dois irmãos, John e Chris, tinham morrido lá fora no espaço e o meu irmão mais novo, Seth, ainda lutava.

— Sim, certo. — Ela olhou por cima do meu ombro e lançou um olhar vago de alguém que pensava. — Se a minha geografia estiver correta, Atlan está a cerca de três anos-luz do posto avançado mais próximo da Colmeia ativa.

— Então, por que vou para lá?

Agora, foi a vez da Guardiã franzir a testa, o olhar dela focou-se em mim.

— Porque é de lá que vem o parceiro que foi emparelhado contigo.

A minha boca abriu-se e eu olhei para a mulher, os meus olhos estavam tão pesados de choque que parecia que estavam prestes a rebentar para fora da minha cabeça. — O meu *parceiro*? Por que é que eu haveria de querer um parceiro?

2

Sarah

O MEU TOM surpreso e a minha expressão gritante e chocante eram claramente novos para a mulher. Ela lançou um olhar para a hamsterzinha e, depois, de volta para mim.

— Bem, hum... porque está aqui para o processamento e exame do Programa Interstelar de Noivas. Por vezes, uma mulher demora mais tempo a se recuperar dos exames e pode acordar... confusa. No entanto, nenhuma mulher jamais esqueceu a razão de estar aqui. Acho a sua linha de interrogatório preocupante. Srtª Mills, está se sentindo bem? — Ela voltou-se para a hamsterzinha. — Ligue lá para baixo. Acho que ela poderá precisar de um novo exame no cérebro.

— Eu não preciso de exame nenhum. — Então, sentei e me debati contra as correias, mas não conseguia me mexer. O fato de eu ter me debatido contra as correias fez com que ambas as mulheres se sentassem direito nas suas cadeiras enquanto eu continuava: — Eu sinto-me ótima. Acho que ela...— Abri o punho e apontei para a hamsterzinha, que agora mordeu o lábio e apertou a borda da mesa — cometeu um grande erro.

A Guardiã Egara permaneceu serena enquanto os dedos dela voaram sobre o tablet. Um minuto se passou, depois outro. Ela olhou para mim. — Você é Sarah Mills e se voluntariou para ser uma noiva no Programa Interestelar de Noivas.

Eu irrompi num riso enorme que saiu de dentro de mim. Creio que por um lado, *ainda bem* que eu estava presa. — De modo algum! Eu sou a última pessoa no mundo a precisar ser emparelhada com um homem. Eu cresci com três irmãos e um pai superprotetor que estavam mais do que profundamente enterrados na minha vida pessoal. Eles eram mandões como tudo e afugentavam qualquer rapaz que sequer *pensasse* sobre mim de alguma forma mais sexual.— Eu acabei por descobrir como manter *algumas* coisas em segredo, incluindo homens, mas o que a minha família não sabia era para o próprio bem deles. — Por que raios, em toda esta Terra, eu precisaria de um parceiro?

— Ele não estaria *na* Terra. — murmurou a hamsterzinha.

Virando rapidamente a cabeça, a Guardiã Egara olhou para a hamsterzinha e eu fiquei bastante impressionada. Poucas mulheres civis que eu conhecia tinham o olhar da morte que ela tinha. No entanto, a Guardiã era uma profissional.

— Então, por que está aqui? — A Guardiã devolveu-me a sua atenção, a cabeça dela inclinou-se para o lado como se eu fosse um quebra-cabeça a ser resolvido.

— Agora, eu pergunto onde é que *aqui* fica, mas eu me voluntariei para um contingente da Terra como combatente da Aliança.

— Mas você é uma mulher. — rebateu a hamsterzinha, com os olhos arregalados.

Eu olhei para baixo, para o meu corpo, enquanto respondia. Eu era forte, não era magra. Os meus ossos eram pesados e eu tinha passado quase tantas horas na sala de musculação quanto os rapazes da minha unidade. Apesar de todas as horas de treino, eu ainda tinha curvas, com quadris exuberantes e seios fartos, e não podia ser confundida com um homem. — Sim, os meus irmãos sentiam um prazer enorme de me lembrar isso.

Pensei neles, dois deles, agora, tinham partido e um estava no espaço lutando contra a Colmeia. Eu tinha detestado ser chateada por eles antigamente, mas com John e Chris mortos, eu daria qualquer coisa – incluindo lutar contra a Colmeia sozinha – para ouvir Seth me provocando novamente. Seth ainda estava lá fora, em algum lugar. E eu ia encontrá-lo e trazê-lo para casa. Isso era o que o meu pai queria, o que ele me fez prometer que faria antes de morrer.

— Mas nenhuma mulher se voluntariou. — A hamsterzinha inquietou-se, o seu joelho esquerdo saltitava para cima e para baixo como se fosse um trampolim.

— Isso não é verdade. — respondeu a Guardiã, a voz dela, clara e irritada. — Este é o teu segundo dia nesta função e, portanto, há muitas coisas que não sabe. Há mulheres da Terra que já se voluntariaram para lutar contra a Colmeia, simplesmente não foram muitas. Srtª Mills, creio que lhe devo um pedido de desculpas.

— Obrigada. — Os meus ombros caíram em alívio e senti que podia voltar a respirar. Eu não queria ou precisava de um parceiro. Eu não queria ir para Atlan. Eu queria e precisava ir matar aquelas coisas que tinham matado os meus dois irmãos. O meu pai daria voltas no túmulo se eu abandonasse esta guerra e fingisse ser uma mulher fraca e assustada que precisava de um homem para cuidar dela. Não foi assim que eu fui criada. O meu pai e os meus irmãos criaram-me para que eu soubesse como cuidar de mim mesma, eles esperavam mais de mim. — Quando é que eu vou embora? Estou pronta para lutar contra a Colmeia.

Eu sabia que a maioria das mulheres racionais pensaria que eu era louca. Quem recusaria um par perfeito, um parceiro que me fosse total e completamente dedicado para o resto da minha vida, um homem forte que pudesse me dar filhos e um lar, que estivesse comigo em combate e, muito provavelmente, até a morte?

Creio que esse alguém era eu.

— Foi colocada em Atlan.— esclareceu ela. — Os exames já foram feitos. Com base no teu perfil psicológico e exames feitos pelo programa de emparelhamento, o teu parceiro será selecionado dentre os machos disponíveis no planeta Atlan. Eles fazem as coisas de forma diferente ali...

— Não. Mas... — interrompi, mas ela ainda não tinha terminado.

Ela suspirou e levantou a mão para impedir que eu argumentasse qualquer outra coisa. — Será transportada para fora do planeta sem o teu consentimento. Creio que não o tenho.

— Não. Não o dei. — respondi, de forma bastante clara. — Não preciso ter nenhum macho alienígena, nenhum... *parceiro* me dizendo o que fazer.

— Vai ter um comandante, que provavelmente será um

homem, que te dirá exatamente o que fazer nos próximos dois anos. — rebateu a hamsterzinha.

Ela tinha razão, mas eu não ia lhe dizer isso. Além disso, havia uma grande diferença entre ter um parceiro que, de acordo com as leis da Aliança, estaria legalmente autorizado a mandar em mim para o resto da minha vida, e um comandante, que estaria fora da minha vida dentro de dois anos.

— Eu farei o que for preciso para encontrar o meu irmão. O *único* irmão que me resta vivo depois dessa luta contra a Colmeia. Eu fiz uma promessa ao meu pai e nada vai me impedir de cumprir com a minha palavra.

Ambas as mulheres me olharam com os olhos arregalados, provavelmente surpreendidas com a minha veemência. Eu não estava brincando. Eu queria encontrar Seth e queria matar o máximo de Colmeia que pudesse por terem matado John e Chris. A Colmeia não tinha *realmente* matado o meu pai, mas a dor da morte dos meus irmãos certamente ajudou a dar cabo dele.

— Muito bem. — respondeu a Guardiã, deslizando o seu dedo sobre o tablet, o que fez com que as minhas correias se soltassem. — Visto que não tenho o teu consentimento para ser uma noiva, está livre para ir até o centro de exames do Batalhão de Combate Interestelar e iniciar o teu processamento para que eles possam te admitir ali.

Falei enquanto esfregava os meus pulsos: — Portanto, isto tudo foi um desperdício de tempo? Tenho que recomeçar lá?

Ela suspirou. — Infelizmente, sim. Peço desculpa.

— Desde que consigamos resolver todo esse problema do parceiro, está tudo bem.— Eu sentia-me melhor por saber a razão por detrás do sonho sexual. Por um minuto perguntei-me se eu teria escondida dentro da minha cabeça uma mulher reprimida e depravada que eu não reconhecia. Estava aliviada por descobrir que não era culpa minha. Eu não tinha feito nada para que aquela bolha de imagens sexuais viesse à tona.

Desci da cadeira e coloquei os meus pés descalços no chão frio. As minhas pernas estavam trêmulas, mas eu recusava-me a pensar no motivo pelo qual elas estavam assim. Por que ter um parceiro mandão era mais aterrador para mim do que lutar contra ciborgues alienígenas, não-humanos e impiedosos?

Bom, para começo de conversa, se um ciborgue me chateasse, eu podia explodir-lhe a cabeça e ir embora. Mas um parceiro? Bom, ele me chatearia e eu ficaria ali, presa com ele para sempre, sendo instigada como um vulcão que nunca chega a explodir... e, céus, eu tinha um temperamento terrível. E esse temperamento já tinha me metido em problemas, mais de uma vez. Mas também me salvou a vida. Seth tinha o hábito de me provocar quanto a isso, dizendo que eu acabaria por me tornar imortal porque eu era muito teimosa para morrer.

— Vou te acompanhar pessoalmente para garantir que, desta vez, esteja no lugar certo.— A Guardiã falou comigo, mas olhava para a hamsterzinha encolhida. — E que *todos* os protocolos sejam seguidos à risca.

Lancei à hamsterzinha um pequeno sorriso. — Não seja muito dura com ela. — respondi. — Ela é nova. E eu tive um sonho fantástico.

Merda, e se tive. Se o cara com quem eu tinha sido emparelhada fosse minimamente parecido com o amante grande e agressivo do sonho... o pensamento fez os meus mamilos endurecerem.

A Guardiã levantou uma sobrancelha. — Ainda não é

muito tarde para mudar de ideia, Srtª Mills. Devo informá-
la que aquilo não foi um sonho, foram os dados do centro de
processamento da experiência de outra noiva durante a sua
cerimônia de reivindicação com um macho de Atlan.

— Dados de processamento?

A Guardiã corou, suas bochechas ficaram num tom cor-
de-rosa intenso enquanto eu tentava pensar no significado
daquilo, *mais precisamente.*

— Sim. Quando ela é mandada para fora do mundo, a
noiva recebe um implante com uma Unidade de Neuroesti-
mulação que é colocada aqui. O mesmo acontece com os
combatentes da Aliança. — Ela levantou o seu dedo e bateu
na protuberância óssea do crânio que fica logo acima da
têmpora. — Vai te ajudar a aprender e a se adaptar a todas
as línguas existentes na Aliança Interestelar.

— Eu seria capaz de falar com qualquer pessoa?

— Sim. Mas não só. — Os seus olhos se desviaram,
depois, voltaram a fixar-se nos meus. — Quando uma noiva
é tomada pelo seu parceiro, os dados sensoriais, o que ela vê,
ouve, e... sente — a Guardiã limpou a garganta — é gravado
e utilizado para estimular mentalmente e ajudar na
admissão de futuras noivas para determinar a sua
adequação aos homens e aos costumes daquele planeta.

Caramba! — Então, aquilo não foi um sonho. Eu estava
revivendo as *memórias* de outra pessoa? Aquilo aconteceu
mesmo?

A Guardiã sorriu. — Oh, sim. Exatamente como você
vivenciou.

— Aconteceu com outra mulher?

— Sim.

Uau. Eu não fazia a mínima ideia do que fazer com
aquele conhecimento. Será que aquilo significava que todos

os homens de Atlan eram tão dominadores quanto aquele do sonho? Ele tinha falado sobre uma febre, uma raiva que só eu – a mulher do sonho – conseguia apaziguar. Será que aquilo significava que ele sentia-se excitado por ela? Se aquilo era como o sonho, eu mal podia imaginar o quão maravilhoso teria sido se fosse de verdade. Deus, aquele homem, ele era diferente de todos os rapazes que eu conheci na Terra. Aquele sonho tinha sido mais excitante do que qualquer experiência que eu tenha vivido de verdade com um homem na cama.

Mas *era* um sonho, pelo menos para mim. Eu não ficaria pensando naquilo. Era um erro. Eu ia lutar pela Aliança. Ia encontrar Seth. Não tinha tempo para me distrair com luxúria. Aquilo era simplesmente luxúria pura e sem sentido. Eu pensava em matar ciborgues e, ainda assim, meus mamilos continuavam duros. Totalmente inaceitável. Primeiro, vinha o dever. A minha líbido acumulada teria que aguardar até que o meu irmão estivesse seguro em casa. Eu tinha de o encontrar, lutar com ele e concluir os nossos termos de serviço. *Só então,* nós podíamos ir para casa.

Eu olhei para cima e dei de cara com a Guardiã observando-me atentamente. — Você ainda pode mudar de ideia, Srtª Mills. Será emparelhada com um guerreiro de Atlan. Ele será totalmente seu, seus perfis e preferências psicológicos estão alinhados. Ele será totalmente devoto, leal e perfeito para você em todos os sentidos.

Recordei o empurrão duro do pênis daquele homem, da forma como eu tinha gemido e me contorcido contra a parede enquanto ele me tomava. A atração poderosa de ser desejada, desejada ao ponto de uma foda insana inundar-me de luxúria. Eu podia ter aquilo. Podia ter um daqueles amantes enormes e brutos só para mim...

Não. De modo algum. Eu não permitiria que os meus hormônios me tornassem uma idiota. Eu tinha um plano, um propósito. Precisava encontrar Seth. Eu *não precisava* de um homem excitante com um pênis enorme que me faria gozar só por me tomar com força e profundamente. Eu suspirei. Precisar? Não. Mas *querer...*

Merda. Foco! *Primeiro vinha o dever.* Eu não podia ser fraca. Só me restava um irmão. Um.

— Eu não quero um parceiro, Guardiã. Eu só preciso chegar até a linha de frente e lutar ao lado do meu irmão. Prometi ao me pai que cuidaria dele e me certificaria de que ele voltasse para casa.

Ela suspirou, claramente decepcionada. — Muito bem.

––––––

Dax, Nave de Combate Brekk, Setor 592, Frente de Combate

— Faça com que este soldado seja emparelhado e acasalado. — gritou o meu comandante, empurrando-me para a estação médica a bordo da Nave de Combate Brekk no momento em que as portas da sala se abriram.

Todos os trabalhadores se viraram à medida em que a ordem pujante ecoou para fora das superfícies duras e estéreis das macas de exame médico e das telas suaves de vidro que cobriam praticamente cada centímetro da paredes. Através das suas superfícies brilhantes corria um fluxo interminável de dados médicos, exames biológicos e resultados de testes de pacientes sendo exibidos.

Um homem vestido com um uniforme cinzento utilizado pelo pessoal de apoio médico apressou-se para frente.

— Nós precisamos que marque uma consulta...

— Agora! — Gritou o Comandante Deek. — A não ser que queira uma Fera sob a forma de *berserker* Atlan partindo esta nave ao meio.

O médico assistente colocou-se de pé num pulo e assentiu enquanto a doutora se apressava em assumir o comando. Ela estava vestida com o uniforme verde formal de todos os médicos de alta patente, mas era pequena e delicada, não tinha tamanho suficiente para me impedir se o frenesi que eu sentia aumentar dentro de mim fosse libertado. Eu lutei contra a fúria por consideração à minúscula mulher, agradecendo ao enorme médico Prillon que eu pude ver do lado oposto da estação médica e que não estava diante de mim agora. A minha reação à mulher foi relevadora. O Comandante Deek estava certo. Eu precisava de uma parceira para acalmar o monstro. O que não significava que eu gostava da ideia.

— Isso pode esperar. — resmunguei, não ansioso por ser o centro das atenções de todo mundo. O ruído denso da minha voz foi mais uma prova de o quão perto do limite eu estava. Eu sentia o meu chamado para me acasalar há semanas e tinha ignorado. Havia sempre mais uma batalha, outro posto da Colmeia para destruir. Eu tinha um trabalho a fazer, e o meu corpo já não me permitia fazê-lo. Ao invés disso, o meu pau e a minha cabeça tinham se transformado numa só coisa: na necessidade de acasalar, de entrar no cio, de foder até não conseguir enxergar como deve ser. Eu precisava de uma parceira para acalmar a fera ou ela iria consumir-me até não restar mais nada além de um animal insano. E agora, todos a bordo desta nave sabiam o quanto eu precisava foder. Acasalar ou morrer. Esse era o caminho de um macho Atlan. Nós éramos muito poderosos para que permitissem que nos tornássemos selvagens. Se eu não fosse acasalado muito em breve, os outros guerreiros Atlan seriam obrigados a me matar, esse era o seu direito.

Eu sabia tudo isso, e, ainda assim, tinha acreditado verdadeiramente que conseguiria aguentar a febre do acasalamento por mais algumas semanas. Então, eu iria para casa. O meu serviço para com o exército da Aliança teria sido cumprido. Eu seria livre para escolher qualquer mulher do meu mundo. Eu seria um vencedor, procurado e disputado pelas mulheres mais inteligentes, mais bonitas e mais desejáveis. Se eu conseguisse chegar em casa a tempo.

— Eu não teria de assustar o pessoal se tivesse me dito que a febre do acasalamento estava sobre você. — ele rebateu, soltando o seu aperto forte do meu ombro.

— Não entendo o que isso tem a ver com o meu desempenho no último ataque. Eu tinha tudo sob controle.

— Você correu diretamente até a nossa linha de fogo, e sozinho deu cabo de um esquadrão inteiro de batedores da Colmeia. Os últimos dois nem sequer atirou neles. Não, a Fera que habita em você exigiu que lhes arrancassem a cabeça dos seus corpos. — Ele cruzou os braços e olhou para mim com desconfiança. — Eu não sou um comandante Trion ignorante. Eu sou um Atlan. Eu conheço os sinais, Dax. A tua Fera quase te dominou ali hoje. Está na hora.

Olhei para baixo para as palmas das minhas mãos voltadas para cima. Eu era tão mortífero quanto qualquer outro Atlan, excetuando o fato de eu nunca ter sentido uma raiva tão ardente apoderando-se de mim. Os Atlans eram temidos em combate, conhecidos por serem frios e calculistas e bastante poderosos. Nenhum guerreiro Atlan – pelo menos nenhum que estivesse livre da febre do acasalamento

– iria desmembrar um combatente da Colmeia – ou três – com as próprias mãos. Isso seria considerado uso ineficiente de energia. Mas hoje, eu tinha posto os olhos nos meus inimigos e tinha sentido uma necessidade incontrolável... aquele *desejo* primordial de parti-los ao meio. E assim o fiz.

Eu tinha notado a intensidade do meu ódio crescer nas últimas semanas, mas recusei-me a pensar que a febre do acasalamento era o motivo. Eu já era dois anos mais velho do que a maioria dos homens quando a febre do acasalamento os atingiu e tinha simplesmente tentado esquecer tudo isso.

— Devia estar me agradecendo pela quantidade de mortes de hoje, não tentando me emparelhar com uma pessoa qualquer.

Ele me empurrou na direção indicada pelo médico, na direção de outro funcionário que tinha preparado uma estação de testes para mim. O Comandante Deek agrade-ceu-lhe e empurrou-me em direção à cadeira quando ela se afastou para tratar dos seus outros pacientes. — Agradeço depois de estar acasalado e saber que não tenho de te executar por ter perdido o controle. — O sorriso dele naquele momento era algo que eu já esperava, a satisfação mútua pela vitória. — Admito, ficarei triste por te ver partir.

Um homem cuja febre do acasalamento estava sobre ele era imediatamente dispensado do seu dever e enviado para Atlan para poder tomar uma parceira. O seu termo de serviço no combate à Colmeia tinha terminado. O novo dever daquele homem seria procriar, engravidar a sua nova parceira como o animal que ele era até que ela estivesse à espera do seu filho.

Reformar-me e criar uma família enquanto ainda havia postos da Colmeia ativos para combater? Não. Isso era algo que não desejava minimamente fazer. Eu pertencia às linhas de frente de combate, arrancando cabeças dos meus inimigos e protegendo o meu povo. Eu não precisava de uma parceira, e também não tinha o desejo de gerar filhos. Estava satisfeito com a minha vida tal como ela era. Cá fora, eu era um guerreiro com um propósito. O que eu faria com uma parceira? Seguiria-a como se fosse um jovenzinho apaixonado, acariciando o meu pau e desperdiçando horas preciosas tentando convencer uma fêmea alienígena a não ter medo de mim ou da Fera que há em mim? Como é que eu devia fazer isso?

Quando um Atlan se transformava numa Fera, os seus músculos inchavam quase o dobro do seu tamanho, os seus dentes cresciam tornando-se presas e a sua capacidade de falar era praticamente perdida. O que uma fêmea alienígena faria com um Atlan enfurecido?

Eu precisava ir para casa e encontrar uma fêmea Atlan, uma que não me temesse. Uma mulher que eu não tivesse medo de partir ao meio com o meu pau gigante e com a minha necessidade de dominar completamente o corpo dela, de cobri-la com o meu volume e fodê-la até ela desmaiar. A resistência irritou sua fera e no cio de uma febre de acasalamento, qualquer rebeldia ou desobediência de uma fêmea seria tratada com dureza. Uma fêmea Atlan responderia bem à minha necessidade de ter controle, ficaria excitada e veria com bons olhos quando eu lhe rosnasse e iria abrir bastante as suas pernas para receber o meu pau ávido, sabendo que o seu corpo suave e boceta molhada acabariam por me domar. Talvez ela até me permitisse dormir com a minha cabeça sobre a sua coxa macia, com o meu rosto ao lado do doce aroma da sua boceta enquanto sonhava em fodê-la novamente.

Mas uma mulher alienígena? Do que ela estaria à espera? De um homem que sonhava acordado, escrevia cartas de amor e trazia presentes brilhantes? Não. Em Atlan, segurar com força as mãos de uma mulher sobre a sua cabeça e fodê-la contra a parede *era* uma carta de amor. O presente de um guerreiro Atlan para a sua noiva era prendê-la e lamber-lhe a boceta até os seus orgasmos a fazerem gritar e implorar para ser fodida. O meu pau inchou pelas imagens que surgiam na minha mente e eu me movi, tentando esconder a minha condição do Comandante Deek. Olhei para o seu rosto, para a sua sobrancelha erguida e admiti a derrota. *A febre do acasalamento.* Eu simplesmente *não* conseguia parar de pensar em foder.

— Me deixa ir para casa. Eu posso encontrar uma parceira sozinho. — respondi enquanto me deixava cair sobre a cadeira de exames. Ela estava reclinada, portanto, inclinei-me para trás, cruzei os meus braços sobre a minha cintura e olhei para cima, para o teto metálico, com o queixo cerrado.

— Você não tem tempo de passar por um cortejo formal em Atlan. Isso levaria meses. — Ele sentou-se num banco perto da ponta da maca e olhou-me nos olhos. — Estará morto dentro de uma semana se não for acasalado. Não tem tempo de cortejar e atrair uma fêmea Atlan de elite e poder ser colocado no topo da lista para obter uma parceira. Claramente a tua febre oferece um enquadramento e uma urgência especiais.

Lancei-lhe um olhar incrédulo, erguendo a minha sobrancelha. — Cortejar e atrair? E quem é que disse alguma coisa sobre a elite? — A esta altura, eu me contentaria com uma prostituta na fronteira exterior desde que a sua pele fosse suave e a sua boceta estivesse molhada.

Ele revirou os olhos. Nenhum guerreiro voltava para casa em Atlan a não ser que fosse para ficar com, pelo menos, uma fêmea de elite. Parceiras de guerreiros eram bens preciosos em Atlan; ricas, influentes e respeitadas. As fêmeas disponíveis, e os seus pais, esperavam todo um ritual de cortejo da minha parte caso eu voltasse para casa agora. Eu era um comandante de solo, um *Warlord* (senhor da guerra) encarregado de vários milhares de forças de infantaria e de esquadrões de ataque. Eu não era um soldado de primeiro ano que voltava para casa com as mãos abanando. O senado de Atlan iria honrar-me no meu regresso com riquezas, propriedades e títulos.

O Comandante Deek estava certo. Mesmo que eu fosse transportado para casa hoje, só teria um acasalamento autorizado dentro de vários meses. Eu não tinha tempo para formalidades. Eu nem sequer tinha tempo de atrair e cortejar uma fêmea Atlan suave. Eu precisava de algo que fosse rápido e atrevido. Eu precisava de uma mulher que eu pudesse montar, foder e dominar agora, de uma mulher que me trouxesse de volta do precipício. Alguém suave, sereno, gentil e fértil, como as fêmeas de Atlan eram. Uma mulher que acariciaria minha fera e acalmaria a minha raiva.

Ele agarrou o meu ombro quando reparou que eu não prestava atenção. — Ouça, Dax. Você só tem de tomar uma parceira uma vez e precisa fazer como deve ser. Mesmo que seja emparelhado com uma alienígena.

A ideia de vir a *gostar* mesmo de uma parceira, de uma parceira *alienígena*, era altamente improvável. Mas eu não precisava me apaixonar. Só precisava fodê-la. Bem, não era apenas fodê-la, mas sim *unir-me* a ela para satisfazer a fome da fera que ansiava por toque, pelas carícias calmantes das mãos de uma mulher sobre o meu corpo. Devia ser suficientemente fácil.

— Muito bem. Faça. — disse eu, decidido.

Algemas se curvaram e rodearam os meus pulsos e mantiveram-me no lugar. O meu monstro interior enfureceu-se por se sentir preso, mas eu continuei sob controle. Por pouco. Eu sabia que esta era a forma mais rápida de convocar uma parceira e tinha me focado no fato de de que acima de tudo, minha fera estava silenciosa dentro de mim, atenta, mas disposta a esperar.

O médico assistente anexou sondas às minhas têmporas e começou a apertar vários tipos de botões na tela que estava na parede por detrás da minha cabeça. Eu ignorei-o completamente. Eu não queria uma análise ou uma explicação passo a passo. Eu só queria que aquilo acabasse.

— Não haverá dor nos seus exames, Warlord Dax. — disse o médico assistente, olhando não para mim, mas sim, para sua tela. — O emparelhamento leva em consideração vários fatores, incluindo a compatibilidade física, personalidade, aparência, necessidades sexuais, fantasias reprimidas, desejo sexual e probabilidade genética de produzir crias viáveis...

— Comece, sem a tagarelice.

O homem calou-se. O Comandante Deek pode ter estado encarregado do grupo de combate Atlan, mas eu era um líder por mérito próprio e todo mundo sabia disso. Incluindo, pelo que parecia, o pessoal da estação médica.

O homem lançou o seu olhar ao Comandante Deek, que acenou firmemente com a cabeça.

— Muito bem. Feche os olhos...

———

Eu abri os meus olhos para dar de cara com o Comandante Deek pairando sobre mim. O seu ar severo esboçava um franzir de testa e eu me perguntava o quão perto estaria ele da sua própria febre de acasalamento. — Talvez devesse ser você nesta maca.

— Não. — rosnou ele, olhando para o médico assistente que estava de pé atrás de mim. — O emparelhamento foi feito? Ou preciso mandar Warlord Dax para casa no próximo transporte?

Pisquei os olhos algumas vezes, tentando lembrar do que raios tinha me acontecido. Eu não me lembrava de muita coisa além dos gritos ávidos de uma mulher e do êxtase de enterrar o meu pau bem no fundo de uma boceta molhada, quente...

— Acabou. O emparelhamento foi feito. — A voz veio de dentro de mim e eu não precisava virar a minha cabeça para saber que era o mesmo médico assistente que me irritou ainda há pouco por falar demais. Mas, desta vez, eu exigi uma explicação.

— Tem a certeza que os exames já acabaram? — Rebati. — Não me lembro de nada.

Nada tinha acontecido, excetuando o fato de que agora eu tinha vaga lembrança que se prolongava no fundo da minha mente, e um pau dolorosamente duro esforçando-se para sair de dentro da minha calça blindada. Eu tinha sido arrastado diretamente do campo de combate para a unidade médica, e o invólucro duro da armadura terrena tornava a minha ereção incrivelmente dolorosa. Com as minhas mãos presas, não era como se eu pudesse sequer movimentar o meu maldito pau para uma posição menos agonizante.

O médico assistente aproximou-se de mim ficando junto ao meu quadril, onde eu o pudesse ver. A sua voz soava vagamente aborrecida e monótona. — Você foi colocado numa sequência de transe. Lembra-se de alguma coisa?

— Não muito. Vultos. A memória é vaga. — Fechei os meus olhos. Lembrava-me de agarrar uma mulher, dos seus gritos de prazer, dos empurrões poderosos dos meus quadris enquanto a fera tomava o que lhe pertencia.

— Vultos? É por isso que o teu pau está mais duro do que minha pistola de íons?— comentou o comandante.

— A maioria dos machos não se lembra de muita coisa dos dados de processamento. Os seus níveis elevados de agressão durante o ritual de acasalamento tendem a obscurecer a experiência.

Tentei processar aquilo que ele não dizia. — E as mulheres? Elas passam pelo mesmo processo?

Ele acenou entusiasticamente enquanto retirava o sensor da minha têmpora. — Oh, sim. Mas as noivas tendem a lembrar-se de tudo. — Ele limpou a garganta. — Até o mais ínfimo detalhe sensorial.

O Comandante Deek riu. — Portanto, entram no cio e vão embora e as fêmeas lembram-se de tudo até o mínimo detalhe para sempre poderem usar isso contra nós mais tarde. — Ele bateu no meu ombro, com força. — Soa bem para uma parceira.

— É um resultado consistente dos testes — comentou o homem —, não um julgamento das fêmeas no geral.

Eu fechei os olhos e suspirei, ignorando a palpitação latejante de luxúria do meu pau. Se eu visse minha parceira agora mesmo, e soubesse que ela era minha, eu saltaria para cima desta mesa, arrancaria as roupas do seu corpo e a foderia enquanto a prendia debaixo de mim neste chão duro até ela ter tantos orgasmos que me implorasse para parar.

Eu a imaginava perfeita, nua, com a boceta brilhante, enquanto rastejava para longe de mim, as suas coxas macias e pálidas em comparação com o verde escuro e suave do chão da ala médica. Eu a deixaria rastejar um pouco, deixando-a pensar que eu tinha acabado com ela, depois, agarrava-a, colocava-a de costas, atirava as suas pernas sobre os meus ombros e fodia-a novamente, o meu polegar no seu clitóris enquanto a fazia entoar o meu nome. Para quem não fosse de Atlan, soaria bárbaro, mas nós dávamos às nossas parceiras o que elas precisavam, e elas precisavam saber a quem pertenciam.

O meu pau latejou e eu rosnei, ansioso por encontrá-la, por fodê-la. Agora que eu sabia que ela estava lá fora, pronta para mim, a fera surgiu em mim com ainda mais força para se libertar, para tomar o que era dela.

Eu estava mais perto do limite do que tinha pensado. Com um ato de vontade supremo, concentrei-me na minha necessidade e foquei-me na conversa que fluía ao meu redor enquanto o médico assistente falava com o Comandante Deek.

— ...É normalmente um sinal de... compatibilidade antes de o transporte da noiva iniciar.

— Iniciem o transporte então. — rosnei. — Estou pronto.

O médico assistente colocou-se rapidamente de pé e foi trabalhar na tela que estava na parede perto dos meus pés, o seu olhar desviava-se freneticamente de um item para o outro enquanto os seus dedos voavam sobre os controles. — Oh, hum... sim. Bem.

Inclinei a minha cabeça e olhei para ele. Ele era um guerreiro enorme, mas não era do tamanho de um combatente Atlan ou Prillon, mas também não era pequeno. Era muito falante, tal como a maioria do pessoal médico tendia a ser, mas agora não tagarelava, ele estava nervoso por algum motivo. Aqui estava eu, preso a esta maca, dividido entre a necessidade de foder a minha parceira e de despedaçar outro soldado da Colmeia, enquanto ele se agarrava aos comandos como se nunca os tivesse usado antes. A sua inépcia não tornava mais fácil para mim manter o controle.

— Deixem-me chamar a doutora. — O homem apressou-se a sair antes que ambos pudéssemos fazer-lhe alguma pergunta. Dentro de um segundo, ele voltou com a pequena doutora, as suas curvas exuberantes enfatizadas pelo verde escuro padrão ao invés do cinzento do assistente. Mas eu estava muito longe para respeitar o seu conhecimento ou a sua experiência ou o fato de ela provavelmente estar muito acima da minha patente. Eu só via uma mulher que precisava ser fodida.

— Sou a Dra. Rone. Acabo de saber que embora o seu emparelhamento tenha sido feito, há uma pequena complicação.

As minhas mãos se curvaram em punhos e debateram-se contra as algemas apertadas enquanto a fera dentro de mim se enfurecia, infeliz com estas notícias. — Qual é a complicação? — A minha voz estava entrecortada e afiada.

A doutora limpou a garganta e olhou para baixo para uma corrente de dados que fluía pelo tablet portátil que ela carregava. — Warlord Dax, a sua parceira emparelhada é uma mulher humana de um planeta chamado Terra. O nome dela é Sarah Mills. Ela tem vinte e sete anos de idade, é fértil e cumpre com todos os requisitos do processamento de noivas da aliança, exceto um.

Sarah Mills. Sarah Mills era minha. Olhei para a parte de

trás do tablet, ansioso por ver minha parceira. — Eu quero ver como ela é.

A doutora encolheu os ombros, como se não lhe fizesse nenhuma diferença e estendeu o tablet para que eu pudesse ver a beldade de cabelos escuros que eu podia ver praticamente saltando para fora da tela de dados. Ela era linda e elegante, com linhas delicadas, sobrancelhas arqueadas e uma mandíbula forte, mais refinada do que a de qualquer mulher de Atlan. Os seus cabelos longos e escuros se ondulavam e repousavam abaixo dos seus ombros. A sua boca rosada parecia madura o suficiente para ser beijada... ou fodida. O meu pau duro saltava para fora enquanto eu a imaginava tomando-me com a sua boca. Eu quase gozei ali mesmo, na maca de exame. Ver os seus olhos intensos e escuros fez a minha febre de acasalamento ser muito mais difícil de controlar. Ela era minha e eu queria-a agora. Agora mesmo. — Onde é que ela está?

A doutora desviou o olhar e recuou, segurou o tablet com força contra a sua cintura enquanto olhava para o Comandante Deek para obter permissão para falar.

Mas que raios acontecia com a minha parceira?

— Onde é. Que ela. Está? — fiz a pergunta e todos os olhos na estação médica viraram-se com curiosidade na nossa direção. Fiquei tenso enquanto o médico Prillon caminhava na nossa direção, e preparei-me para lutar para sair daqui, se necessário. Minha pequena médica fez-lhe sinal, aparentemente confiante de que eu não causaria danos, mesmo eu estando pronto para partir esta nave ao meio se a doutora não me respondesse.

O Comandante Deek esfregou os olhos e balançou a cabeça. Ambos sabíamos que isto não seria nada bom. — É melhor nos dizer, doutora.

A pequena médica permaneceu com a postura reta, o que foi notável, uma vez que a minha raiva e frustração estavam desencadeando alarmes por toda uma parede de equipamentos de monitoramento biológico. — Temo que ela tenha sido transferida para uma unidade de combate.

3

— TRANSFERIDA? — O quê? Como é que uma parceira emparelhada se tornava outra coisa? Os protocolos de emparelhamento utilizados eram precisos e há centenas de anos que eles eram rotineiros. Uma vez fosse efetuado, não havia mudança nenhuma a não ser que a fêmea considerasse o seu parceiro inaceitável e pedisse por outro. E, mesmo assim, o perfil psicológico utilizado pelo processo garantia que a noiva seria atribuída a um parceiro do mesmo planeta.

— Como isso é possível? — Perguntou o Comandante Deek.

— Você foi emparelhado com uma mulher da Terra. — A doutora retomou a análise dos dados do tablet e passou os dedos por cima dele algumas vezes antes de olhar novamente para mim. — Quando ela passou pelo processamento para se tornar uma parceira, você ainda não estava no sistema. E visto que a Terra permite que as suas mulheres sirvam em posições de combate, ela escolheu ser transferida para uma unidade de combate ativa.

— O que isso significa, mais precisamente? — Eu tinha medo de já saber a resposta e de sentir a raiva aumentar dentro de mim. Que tipo de idiotas permitiam que suas mulheres fracas, suaves e indefesas lutassem? — Onde é que ela está?

Os olhos da doutora encheram-se de pena e a fera dentro de mim enfureceu-se. — Ela está no Setor 437, no comando da sua própria unidade de reconhecimento atribuída ao Grupo de Combate Karter.

— A minha *parceira* recusou-me para ir para as fronteiras lutar contra a Colmeia?

A parte de baixo do meu corpo sacudiu minha cadeira e eu sabia que se não me acalmasse, agora mesmo, eu iria partir toda esta estação médica aos poucos e estaria um passo mais perto da execução. O Setor 437 era conhecido como um foco de atividade da Colmeia, e já estava ativo há dezoito meses. Isso significava que cada segundo que eu passava sentado nesta maldita cadeira, minha parceira corria perigo. As algemas não ajudavam a fera dentro de mim a ser racional. Eu esperava que a minha parceira fosse transferida para uma unidade estratégica ou talvez para uma das naves de proteção que acompanhavam as naves civis por zonas de voo relativamente seguras. Não estar ativa em combate, combatendo o inimigo cara a cara! Não num dos setores mais perigosos de toda a frente da Aliança.

Agora, mais calmo, repeti a minha pergunta com um rosnado baixo.

— Ela me rejeitou?

Como uma alienígena da Terra ousava me rejeitar e arriscar a sua própria vida? Será que ela não sabia que tinha sido emparelhada com um Warlord de Atlan? Ser minha era uma honra tal que várias fêmeas de elite de Atlan lutariam por mim. E, ainda assim, esta fêmea da Terra tinha me rejeitado?

— Ela não te recusou especificamente. Ela não sabia quem tinha sido emparelhado com ela. Na verdade, ela passou pelo processamento há muitos meses. Aparentemente, houve alguma confusão por parte do centro de processamento de noivas na Terra. Ao que parece, ela nunca chegou a dar o seu consentimento para ser uma noiva, portanto, permitiram-lhe desistir do programa e ser transferida e tornar-se uma combatente da Aliança.

Eu fiquei vermelho. A raiva pulsava pelo meu sangue numa fúria ardente. Um barulho alto saiu dos meus pulmões e eu fiquei tenso, puxando facilmente as algemas e rompendo-as. A doutora e o seu assistente deram um salto para trás e todo mundo na sala começou a se mexer.

— Caralho, Dax. Tem de acalmar. Se acalma! — Gritou o Comandante Deek.

Eu estava de pé, puxando os fios que ainda estavam ligados às minhas têmporas e cerrei os meus punhos. Tinha a respiração ofegante, como se tivesse lutado contra uma brigada inteira da Colmeia.

— Encontre outra parceira. — O Comandante Deek estendeu a sua mão na minha direção, o seu tamanho e o meu respeito por ele eram as únicas coisas que me mantinham no lugar enquanto a doutora balançava a sua cabeça.

— Não posso. Não é assim que funciona. Não sei por que ela não foi retirada do sistema quando foi transferida para o grupo de combate. Não faço parte da unidade de processamento de noivas. Não tenho a autoridade ou a capacidade de cancelar um emparelhamento ou reatribuir uma noiva. Nós aqui recebemos as noivas; não efetuamos o seu processamento. Terei de pedir uma investigação formal dos eventos que ocorreram para criar esta complicação durante o seu processamento na Terra.

A médica cruzou seus braços e olhou novamente para mim, como se ver um guerreiro de Atlan em fúria de batalha no seu posto médico não fosse uma ocorrência incomum. Ou isso, ou a mulher era muito corajosa para o seu próprio bem. Enquanto eu olhava mais atentamente, percebi que a médica não era muito diferente da minha parceira.

— Você é parecida com ela. Com a minha parceira.

A doutora estendeu-me a sua mão. — Melissa Rone, de Nova York. — Quando eu simplesmente encarei a sua mão estendida, ela deixou-a cair ao lado da sua cintura. — Eu também sou da Terra. O meu parceiro principal é um capitão Prillon.

Eu queria arrancar as cabeças de todas as pessoas vivas dentro desta sala e ela oferecia-me a sua mão? Será que esta fêmea humana de cabelos compridos e escuros e olhos igualmente escuros, semelhante à minha parceira, era simplesmente imprudente ou era estúpida? — Conhece a minha parceira?

— Não. Eu sou de Nova York, ela é de Miami. O meu pai era da Coreia, e ela parece ter herança genética grega ou talvez italiana. No entanto, nós crescemos no mesmo continente.

— Isso não me diz nada.

— Encontrem-lhe outra parceira. Ele não pode esperar dois anos para que o serviço militar dela termine.

Eu tinha esquecido de tudo além do Comandante Deek

enquanto estudava a mulher, mas ele estava perto do meu ombro, dois guerreiros Atlan estavam agora de pé sobre a fêmea pequena e cheia de curvas. Ela apertou os lábios e eu sabia que eu não ia gostar do que ela tinha para dizer.

— Não há outro emparelhamento. Ela é a única parceira para ele. O sistema não fornecerá outra alternativa compatível a não ser que ela, primeiro, aceite o emparelhamento, passe pelo período de teste de trinta dias e peça por um novo parceiro. Ou, se ela for excluída do sistema.

Excluída significava morta. Morta em combate.

A doutora sorriu e um olhar de conhecimento invadiu os seus olhos. — Embora, se conseguir tocá-la, imagino que ela não vai querer te deixar quando os trinta dias acabarem.

Imaginei-a partilhada pelos seus dois guerreiros Prillon, implorando-lhes que a tomassem, e sorri de volta. Talvez uma mulher humana pudesse me suportar, se a minha parceira fosse uma alienígena tão animada quanto esta. Eu precisava encontrar a minha parceira. Precisava fodê-la. Eu queria-a agora, com um sorriso insolente no seu rosto e uma boceta molhada pronta para mim.

A doutora continuou: — Eu poderia efetuar os testes centenas de vezes, mas os resultados seriam idênticos. O sistema iria providenciar o mesmo resultado. Ela é a única parceira para você.

A mão do meu comandante segurou-me impedindo-me de quebrar coisas. — Dra. Rone, este Atlan obviamente está sob os efeitos da febre do acasalamento e não há tempo para que ele viaje para casa para encontrar uma alternativa.

O meu corpo vibrava com a necessidade de destruir algo, de esmurrar algo, e a médica estudava-me com intensidade e inteligência nos olhos que achei desconcertante, como se ela pudesse ver a minha alma. O Comandante Deek continuou quando ela ficou em silêncio:

— Ele precisa da sua parceira para acalmar a febre, para aliviar a intensidade... óbvia. Transporte-o imediatamente para a localização dela. Ele deve tomá-la, ou ele *vai* morrer.

A doutora olhou para mim, depois, para o comandante.

— É contra o protocolo transportar um guerreiro de Atlan com febre de acasalamento para outro grupo de combate. Poderia dar cabo de um esquadrão inteiro antes de te matarem.

Eu rosnei fundo no meu peito e dei um passo em direção a ela. — Envie-me até ela, agora. Ela é *minha*.

A doutora riu. — Não, ela não é sua. Ela pertence ao Grupo de Combate Karter durante os próximos...— ela olhou para o seu tablet rapidamente, depois, novamente para mim — ...vinte e um meses.

O Comandante Deek colocou-se diante de mim e empurrou-me para trás, uma, depois duas vezes. Ele era tão grande quanto eu, e colocou-se diante da doutora. Ele também era um dos únicos que eu permitiria que me empurrasse sem que eu o matasse, especialmente agora quando lutava contra a raiva assassina ao saber que a minha parceira corria perigo.

— Há uma alternativa, uma brecha que você poderia usar para tomá-la.

Ele rosnou para a mulher por cima do seu ombro. — Pare de torturar o homem e diga-lhe o que fazer.

Ela assentiu com a cabeça. — Machos grandes rosnando não me assustam, Comandante Deek. — Ela levantou uma sobrancelha como se fosse para dar ênfase antes de me tirar da minha infelicidade. — De acordo com os regulamentos da Aliança, se ela concordar em tornar-se sua parceira, ela pode pedir uma transferência de volta para o programa de noivas imediatamente. Ela seria liberada de todas as obrigações militares de uma só vez.

Finalmente, aquela mulher fez algum sentido. A febre do meu acasalamento poderia ser usada para terminar o meu serviço militar, se eu optasse por seguir a tradição de Atlan. E a minha parceira, ao se voluntariar para o programa de noivas, teria o mesmo direito.

— Ótimo. Envie-me até ela. Agora.

Eu não estava contente com esta reviravolta, mas ainda podia tomar a minha parceira. Da forma como eu me sentia, não seria difícil viajar até o setor dela e matar alguns membros da Colmeia enquanto recuperava a minha parceira. Depois, eu a castigaria por colocar a sua vida em perigo.

— Você tem as coordenadas exatas dela? — Perguntei, olhando para a doutora por cima do ombro do meu comandante. Perguntei-me se ela ia mentir, aliviado por saber que ela não o fez.

— Sim.

Todos os cidadãos da Aliança eram rastreados o tempo todo.

— Transporte-me até lá. Agora.

— Vai precisar das tuas algemas. — O médico assistente aproximou-se e estendeu as algemas para mim, depois, mudou de ideia e entregou-as à doutora antes de se apressar em sair. Aquelas eram algemas de acasalamento, e eram a última coisa que eu queria usar. Além de ser uma sinal externo – e óbvio – de que um Atlan foi acasalado, ajudava os machos Atlan a construir o seu laço de acasalamento ao garantir um contato próximo com a fêmea escolhida. Assim que eu lhe pusesse as algemas nos pulsos, ela não seria capaz de dar mais do que cem passos ao meu lado sem que a febre terminasse.

Até uma hora atrás, eu temia aquelas coisas estúpidas, nunca me interessei em ser emparelhado ou controlado de alguma forma pela tecnologia das algemas. Agora, tudo tinha mudado. Será que eles tinham feito alguma coisa comigo enquanto eu dormia? Por que eu agora precisava desesperadamente ir e encontrar a única fêmea que tinha sido emparelhada comigo, puxá-la do caminho do mal, depois, tornar o traseiro dela num tom de vermelho ardente para que ela soubesse quem estava encarregado da sua segurança... e tantas outras coisas?

Estendi a mão e agarrei as algemas, colocando-as em mim. As algemas eram uma faixa grossa de ouro das minas mais profundas de Atlan e tinham uma fina faixa de sensores nas entranhas que permaneciam em contato com o meu corpo. Elas monitoravam constantemente a minha saúde física, bem como proporcionavam um meio de comunicação com os sistemas de Atlan necessários para o transporte, compra de bens, transferência de títulos e todos os outros aspectos da vida conjugal, se eu optasse por continuar a usá-las depois que a febre fosse aliviada. E o mais importante é que elas forneciam algum alívio para a febre do acasalamento, pois, colocar as algemas no meu pulso era a prova de que eu tinha uma mulher escolhida. Eu era provavelmente o único macho de Atlan na história do nosso mundo que tinha de caçar a sua parceira onde ela lutava com a Colmeia na linha de frente.

Ela se tornaria uma lenda antes mesmo de voltarmos ao meu mundo natal. As nossas fêmeas não lutavam. Nunca.

Isso me fez pensar. Que tipo de fêmea eu estava prestes a me unir? A ideia de ter uma noiva guerreira deveria me fazer encolher em um canto; ao invés disso, imaginei-a no calor da batalha com fogo nos olhos e um grito feminino de raiva que imitaria mais ou menos o som que ela faria quando eu a fizesse gritar de prazer enquanto montava o meu pau. Eu queria aquele fogo destemido, aquela fúria, dirigidos a mim, para que eu pudesse segurá-la e deixá-la sacudir-se, retorcer-se e implorar para gozar.

Caralho. O meu pau estava duro como uma pedra e não estava nada confortável enfiado dentro da minha armadura.

Fechei uma algema em volta do pulso esquerdo, depois, do direito, a fechadura deles era segura. O emparelhamento tinha sido feito, a minha parceira tinha sido identificada. Não havia como voltar atrás. Eu lutaria até não poder mais, depois, levaria a minha parceira para casa. Envelheceria e engordaria em Atlan com a minha mulher linda e bem fodida ao meu lado. Senti o conforto das algemas, o peso e o caráter definitivo da minha decisão e deixei isso assentar ao redor dos meus ombros como se fosse um manto. Respirei fundo uma e outra vez, depois, grunhi uma vez que as algemas estavam seguras.

A doutora estendeu um conjunto correspondente de algemas menores destinadas à minha noiva e eu as prendi no meu cinto. Ela iria colocá-las e ficar livre dos militares imediatamente. Para o comandante dela, era um sinal gritante do seu estado de acasalamento, um símbolo de que ela me pertencia. Embora simplesmente tomá-la não fosse uma ligação permanente – apenas foder enquanto a besta dentro de mim era libertada, com os dois conjuntos de algemas nos pulsos faria isso – o conhecimento de que ela esperava por mim, que precisava de mim, que poderia estar sob ataque neste preciso momento, deixava-me impaciente o suficiente para querer tomá-la.

— Enviem-me agora, antes que eu parta esta nave ao meio.

A minha parceira estava sob constante perigo enquanto combatente. Eu segui até a plataforma de transporte localizada no canto mais distante da estação médica e estalei o meu pescoço dos dois lados enquanto esperava que um dos oficiais de transporte comunicasse as coordenadas com os principais transportadores do sistema. Normalmente, nada além de massa biológica era permitido através do sistema de transporte, mas no transporte para as linhas de frente, tudo era permitido por razões de segurança. Armadura e armas, inclusive. Eu dei uma palmadinha na pistola de íons que estava na minha cintura e verifiquei a faca do outro lado. Estava tudo certo.

— Boa sorte, Dax.

— Eu vou voltar. — Percebi o ar de surpresa do Comandante Deek e inclinei a minha cabeça na direção da doutora. — Não vejo motivos para voltar para casa. Assim que a minha parceira estiver em segurança e a febre tiver desaparecido, eu vou assentar a bordo da Nave de Combate Brekk com ela e continuar a lutar, assim como os guerreiros Prillon fazem.

Uma mulher de Atlan nunca consentiria com essa vida, uma vida rodeada de guerra, mas eu não estava pronto para parar de lutar contra a Colmeia, e a minha parceira não teria escolha. Ela seria transferida para um posto em que cuidasse de crianças, ou algum outro dever seguro com as outras mulheres do grupo de combate. E eu? Iria fodê-la todas as noites e matar a Colmeia todos os dias. Seria perfeito, assim que a encontrasse e a fodesse até ela se submeter, a fodesse até que a febre do acasalamento que fervia no meu sangue desaparecesse.

———

SARAH MILLS, Setor 437, Unidade de Reconhecimento 7 – Recuperação do Cargueiro 927-4 das equipes de batedores da Colmeia

OLHEI para o alcance do meu rifle de íons e observei enquanto nove batedores da Colmeia se movimentavam pela sala de abastecimento com uma precisão robótica. A Colmeia tinha invadido e tomado o cargueiro da Aliança há duas horas, o pedido de socorro da tripulação ainda soava na minha mente como um disco riscado. O piloto da pequena nave tinha morrido gritando enquanto eu ouvia na sala de interrogatórios. Os oito soldados da coligação designados para este pequeno cargueiro estavam todos mortos ou tinham sido transportados para uma estação de integração num posto avançado da Colmeia. Não conseguimos salvá-los, mas conseguimos evitar que a Colmeia adquirisse os arsenais de armas e matérias-primas deste porão.

Levantando os meus olhos da mira do meu rifle de íons, foquei-me no convés superior da sala de abastecimento, fiz movimentos com dois dedos para que a minha equipe de doze se dividisse em três e se movesse silenciosamente ao redor do perímetro para que pudéssemos rodeá-los por cima e apanhá-los como moscas. Tínhamos feito isto uma dúzia de vezes no último mês e a minha unidade movia-se como se fossem fantasmas ao longo do perímetro superior da sala, com os seus detonadores a postos.

Foi preciso um mês de treino de iniciação para estarmos prontos para lutar contra a Colmeia. Todos os recrutas da Aliança que vinham da Terra que eram enviados para os batalhões de combate eram obrigados a ter experiência militar prévia – experiência militar da Terra. Não importava por qual país uma pessoa tinha lutado, só importava que tivesse um extenso treino tático, físico e outras capacidades de que precisasse para combater a Colmeia. Não existiam donos de casa ou assistentes de lavagem de carros na frota da Aliança. Isso tranquilizou-me, pois, eu estive no Exército por oito anos. Eu não precisava levar um tiro no rabo de um recruta. Nem precisava morrer porque um cara inexperiente entrou em pânico ao ver soldados ciborgue prateados.

A Colmeia fez os antigos filmes do *Exterminador* parecerem filmes de ficção científica dos anos 50. Aqueles ciborgues eram lentos ao responder e mais mecânicos do que humanos.

A Colmeia era muito pior; eficiente e rápida, eles não utilizavam pedaços de metal e pisavam em volta com botas de ferro da lua. Não, eles eram rápidos, altamente inteligentes e, se estivessem vestidos com roupas civis, podiam se passar por biológicos se não se reparasse na tonalidade prateada da sua pele e olhos.

Os ciborgues da Colmeia eram criados a partir de guerreiros Prillon capturados; eram os piores que eu já tinha visto; grandes, maus e quase impossíveis de matar sem levar vários tiros.

Mas, também, tínhamos aqueles filhos da puta gigantescos dos Prillon do nosso lado. Graças a Deus.

Eu assisti silenciosamente enquanto a Unidade de Reconhecimento 4, a unidade do meu irmão, Seth, esgueirou-se pelo perímetro no nível inferior, espelhando o nosso posicionamento para garantir que nenhum dos da Colmeia pudesse escapar pelos corredores de nível inferior, uma vez que começamos a dar cabo deles por cima. Reconheci facilmente os movimentos do meu irmão, apesar da armadura que o disfarçava. Tinha andado grudada nele pela floresta desde que tínhamos idade suficiente para andar e observei, com o coração na garganta, enquanto ele se aproximava, demais, de um dos membros da Colmeia que parecia fazer o inventário.

Seth parou de se mexer, misturou-se entre as sombras por detrás do batedor e eu deixei a respiração que continha sair dos meus pulmões.

Levei oito semanas para encontrar o meu irmão. Um mês, eu tinha estado em formação, as nossas missões eram baseadas na nossa experiência militar anterior. Os soldados da Terra foram enviados para naves por toda a galáxia para combater a Colmeia. Para mim, não doeu porque, além do meu serviço militar, eu tive 18 anos de *formação* dos meus irmãos e do meu pai nos pântanos da Florida. Eles tinham me ensinado defesa pessoal e outras habilidades que nunca considerei úteis – não até enfrentar a Colmeia. Eu conseguia atirar melhor do que a maioria. Conseguia lutar mais sujo do que os outros. Merda, eu até conseguia voar melhor do que os outros. Também era frequentemente subestimada tanto pelas tropas da Aliança quanto pelo Colmeia. Como eu era a única mulher na minha unidade de reconhecimento, os homens tinham pensado que eu iria desmoronar e chorar de medo, mas consegui me manter por conta própria.

Inferno, quando eu finalmente cheguei às linhas de frente de combate – já fazia o que, quatro semanas? – três dos meus novos recrutas tiveram colapso nervoso e tiveram de ser enviados para casa antes de sequer termos o nosso primeiro combate. Lidar com a Colmeia era *diferente* de qualquer outra coisa que eu tivesse experimentado na Terra e seis recrutas da minha primeira unidade tinham sido mortos no seu primeiro conflito. Metade deles. Mortos.

Nenhum dos meus homens questionava-me agora, porque eu não só tinha salvo os outros cinco só com a minha pontaria, como tínhamos levado aquele cargueiro de doze batedores da Colmeia, salvo a nave e eu voei a equipe para casa. Bom, o que tinha restado dela. A minha capacidade de análise e de estratégia de combate tinha feito com que os meus comandantes prestassem atenção em mim. Fui promovida no meu segundo dia e estava, agora, no comando da minha própria equipe, tal como o meu irmão. Unidade 7 e Unidade 4. Sarah e Seth. Nós aceitávamos todas as tarefas juntos, que pudéssemos, majoritariamente, porque Seth e eu queríamos ficar de olho um no outro.

Mantive o meu punho escuro e enluvado no ar, com a mão fechada enquanto os meus últimos homens se posicionavam para os seus lugares. Quando abri o meu punho, comecei a contagem decrescente a partir de cinco que assinalaria o início do nosso ataque. Se as coisas corressem bem, tudo terminaria em menos de um minuto.

Se não... Bom, eu preferia não pensar muito nisso.

Seth levantou o seu próprio punho, espelhando-me na sua equipe que estava fora do meu campo de visão.

Nós estávamos prontos.

Pequenos esquadrões como os nossos eram constituídos quase completamente por humanos da Terra. Nós éramos pequenos, malvados e conseguíamos passar por lugares apertados que os enormes guerreiros Prillon, Atlan e outros tipos de guerreiros gigantes não conseguiam. Nós, humanos, também éramos mais frágeis e não tão capazes de sobreviver em combates terrestres em algumas das superfícies mais hostis de alguns planetas. Eu estava perfeitamente feliz por me esgueirar matando a Colmeia em lugares apertados ao vez de enfrentar gigantes de dois ou três metros de altura no combate terrestre.

Não, os humanos, na sua maioria, eram colocados em unidades de reconhecimento; forças pequenas e estratégicas inseridas em zonas de alto risco perto de um combate onde podíamos nos fundir com outras unidades para formar um grupo de combate maior, geralmente atrás das linhas inimigas, ou em missões como esta, onde nos infiltrávamos e resgatávamos o que era nosso.

Os olhos do meu irmão foram de encontro aos meus e ele presenteou-me com um enorme sorriso. O meu coração moveu-se com uma reviravolta dolorosa no meu peito. Eu sentia a falta dele. O seu cabelo escuro, do mesmo tom que o meu, estava cortado no estilo militar, curto. Embora eu tivesse conseguido a altura do meu pai, Seth era meia cabeça mais alto do que eu. Ele parecia estar em forma, bem descansado. Apesar da tensão do combate no seu rosto, e da constante consciência de seu ambiente aperfeiçoado pelos militares, ele parecia exatamente o mesmo do dia em que se ofereceu para o batalhão de combate com Chris e John.

Eu tinha-o encontrado. Tinha conseguido. Tinha cumprido a promessa que fiz ao meu pai no seu leito de morte e encontrado Seth. Embora eu não o pudesse levar de volta para a Terra – nós dois ainda tínhamos que cumprir o tempo dos nossos termos de serviço – eu podia ficar perto dele, até mesmo lutar ao seu lado, como hoje.

Uma explosão estrondosa soou sobre nossas cabeças e eu caí no chão e olhei para os três soldados escondidos comigo para ver se eles sabiam o que acontecia. Todos olharam de novo para mim com expressões vazias e de choque, mas mantinham silêncio no rádio.

O que raios foi aquilo?

A Colmeia estava correndo e tiros foram disparados por baixo. O silêncio no rádio foi quebrado quando Seth emitiu ordens: — Fogo! Fogo!

O som sibilante de explosivos de íons enchia o ar junto com gritos de dor enquanto alguns de nossos homens caíam. A tela ao lado do meu capacete listou dois dos meus homens como vítimas.

Merda. Merda. Merda! Todo o inferno surgindo.

— Mitchell e Banks caíram à esquerda. Vocês dois, vão em torno do flanco esquerdo. — Apontei na direção que eu queria que os meus dois soldados fossem. — Tirem-nos de lá.

Eles foram embora e eu me virei para Richards, o meu braço direito. — Vá para a direita, mas não comece a disparar até eu te dar cobertura. Descubra o que raios está acontecendo.

— Sim, senhora.

Richards decolou numa corrida baixa agachado e eu levantei a minha cabeça sobre o corrimão para tentar descobrir o que se passava.

— Relatório. Pessoal. Falem comigo. O que raios está acontecendo? — Verifiquei as minhas armas enquanto a minha equipe verificava o que se passava. Um transporte não autorizado tinha ocorrido.

— Seth?

A voz do meu irmão tinha passado pela claridade: — Algum filha da puta enorme acabou de cair por cima de nós sem aviso. Creio que ele é dos nossos, mas dispersou a Colmeia e, agora, eles têm mais seis batedores aqui em baixo. Tenho três homens abatidos às três horas.

Espreitei sobre a grade, super furiosa por a Aliança ter

transportado alguém sem nos avisar. O meu irmão estava certo, ele era *enorme*. E completamente louco. Enquanto eu observava, ele arrancava a cabeça do batedor da Colmeia mais próximo dele com as próprias mãos, ignorando completamente uma explosão de íons de uma das armas menores da Colmeia.

Caralho! Eu nunca tinha visto *nada* assim antes.

O grito do gigante ecoou como uma explosão de canhão no espaço pequeno e eu estremeci.

— Pelo menos ele parece estar do nosso lado. — Será que aquela voz sarcástica era mesmo minha? Eu tinha acabado de ver um alienígena gigante arrancar a cabeça de outro alienígena com as suas próprias mãos e estava contando piadas? O meu pai ficaria bastante orgulhoso.

— Entendido.— Seth também parecia estar se divertindo. — Ele é um Atlan.

Uau. Eu ouvi falar deles, mas nunca tinha visto um em ação. Eram geralmente tropas terrestres, enormes, fortes, rápidos e assassinos brutalmente eficientes. Com o Gigante do nosso lado, estava na hora de mudar de tática. — Unidade de Reconhecimento 7, atirem para matar, mas tentem não acertar no gigante. Vamos acabar com isso.

— Sim, senhor.

O fogo da explosão de íons era tão espesso que eu mal conseguia ver o que acontecia enquanto me levantava da minha posição escondida e abria fogo. Eu tinha abatido dois batedores, o gigante abateu mais três, e o resto das nossas equipes abateu os poucos que restavam. Todos estávamos vestidos com o nosso equipamento tático – armadura básica leve preta e marrom, que era capaz de nos proteger de uma explosão de íons de baixo nível. Não era bonita, mas eu pensava nela como sendo uma camuflagem espacial. Os

nossos capacetes filtravam o ar e forneciam níveis cons-
tantes de oxigênio e de pressão otimizados conforme à
nossa espécie. Nossos rifles de íons eram leves e assistidos
por computador, mas a armadura metálica podia desviar
uma explosão. Presas às nossas coxas, estavam duas coisas
sem as quais nunca saíamos: uma adaga – para combate
corpo a corpo e coisas mais pessoais – e um seringa bastante
humana cheia de uma dose letal de veneno.

A seringa foi uma escolha pessoal oferecida a todos os
soldados da Terra que se voluntariaram. A injeção suicida
era uma opção que tanto eu quanto Seth aceitaríamos de
bom grado. Eu tinha visto o que acontecia aos soldados que
eram levados pela Colmeia, e a morte era preferível a me
perder na mente da Colmeia, transformando-me em algo
menos do que humana. Eu não sabia se os outros mundos
ofereciam aos seus guerreiros essa escapatória, mas também
não queria saber. Ninguém queria ser levado vivo pela
Colmeia. Tinham me dito que a seringa estava cheia do
veneno mais mortífero conhecido pela Aliança. Não havia
antídoto, e a morte era certa dentro de alguns segundos.

Qualquer coisa era melhor do que acabar como um
daqueles autómatos de olhos prateados. Uma coisa que
aprendemos rápido o suficiente foi que a Colmeia não tinha
nenhum senso de honra. Raramente matavam, preferiam
fazer prisioneiros levando-os para os seus centros de integração onde implantariam tecnologia da Colmeia nos biológicos até eles não poderem mais controlar os seus próprios
corpos. Eles tornavam-se um só com a Colmeia. Tornavam-
se um zangão. Para todos os efeitos, um computador ambu-
lante que seguia ordens da mente da Colmeia.

A Colmeia era constituída por combatentes impiedosos
e tínhamos de nos focar nisso. Fazer o nosso trabalho –

eliminar a Colmeia deste cargueiro e sair daqui, transportar de volta para a base, comer um jantar quentinho e dormir antes de outra missão. Viver para lutar por mais um dia. *Esse* era o objetivo.

Eu tinha de não só manter os meus homens vivos, como também, o meu irmão.

Os sons das explosões de íons acalmaram, os clarões de fogo de armas começaram a desaparecer. Felizmente para nós, o cargueiro estava cheio de mantimentos enquanto filas sobre filas de caixas enchiam a área de carga cavernosa, dando-nos uma boa proteção. Infelizmente, isto significava que a Colmeia também tinha cobertura.

Tínhamos a intenção de apanhá-los de surpresa, encurralar a Colmeia para o centro, forçando-os a um espaço cada vez menor, como uma anaconda que espreme a vida da sua presa. Mas o guerreiro atlante tinha arruinado os nossos planos, entrou no meio da nossa festa, e não de uma boa maneira. Puta da vida, fiz um balanço. Tinha dois homens abatidos, mas a Colmeia parecia estar derrotada.

— Reconhecimento 7, relatório.

Eu ouvi os meus homens enquanto eles faziam a verificação.

— Seis está limpo.

— Três está limpo. Dois homens abatidos.

Suspirei, mas deixei passar. Merdas aconteciam. Soldados morriam. Eu pensaria sobre isso mais tarde, quando estivesse escrevendo cartas para as suas famílias e chorando perdidamente. *Mais tarde.* — Richards?

— Nove está limpo.

Esperei, esperando ouvir de Seth, que estava na posição das doze horas no convés inferior.

— Reconhecimento 4?

Ouvi a voz de Seth, em alto e bom som. — É melhor vir aqui embaixo.

Ordenei aos meus homens que permanecessem no terreno superior e desci pela rampa correndo até o meu irmão. Não era só a Colmeia que fazia os meus olhos arregalarem-se à medida em que eu me aproximava.

— Que merda.— sussurrei.

Aquele era... o guerreiro que tinha sido transportado até aqui. Ele estava vestido com o uniforme da Aliança, mas servia-lhe de uma forma que me deixava boquiaberta. Ele não utilizava capacete, o seu rosto era irregular mas não o que esperava de um alienígena. Ele quase parecia humano, mas muito maior. Podia ter havido explosões de íons passando pela minha cabeça, mas eu não teria reparado. Ele era definitivamente alto – chegando facilmente aos dois metros, moreno e bonito, mas do tamanho de um lenhador. De um lenhador sangrento, porque ele estava coberto pelo sangue da Colmeia, de uma pilha de mortos, dos corpos decapitados que estavam espalhados aos seus pés como se fossem lixo. E ele ainda nem sequer tinha tirado a arma do seu coldre. Os seus braços deviam ser tão grossos quanto as minhas coxas, e eu não era nenhuma magricela. Ele fez o meu coração pular uma batida e a minha respiração ficar ofegante de uma tal forma que nem sequer alguém da Colmeia conseguiria fazer.

Ele impunha-se, alto e confiante, talvez confiante até demais, visto que ele ignorava a destruição ao seu redor e procurava... por algo. Ou por alguém. Mesmo à distância, ouvi o seu rugido baixo e vi o seu corpo inteiro tenso como um arco, pronto para apanhar a cabeça do próximo idiota que fosse estúpido o suficiente para chamar a sua atenção. Os seus olhos escuros tinham uma intensidade diferente de quaisquer outros que eu tenha visto. Engoli em seco quando eles se voltaram para mim. Ignorei-o, pensando que era porque não queria ter a minha cabeça arrancada. Na verdade, eu não queria toda aquela intensidade focada em mim.

arah

COM TODAS AS explosões de íons que cruzavam aquela área durante o conflito, ele deveria pelo menos ter se abaixado, até mesmo puxado a sua própria pistola da cintura, mas ele não o fez. Ele olhou para a sua esquerda, depois, para a sua direita enquanto eu ouvia o zumbido muito familiar ao meu lado.

Mais três membros da Colmeia se transportaram para a sala a alguns passos de mim e atacaram. Ao ver que um dos membros da Colmeia ia atirar em mim, o Atlan nem sequer pestanejou. Eu podia jurar que ele cresceu, como se tivesse sido inflado como um balão. Ele estava chateado. Furioso até, visto que os tendões do seu pescoço ficaram salientes e a sua mandíbula se cerrou. Seus olhos se estreitaram e ele agarrou o guerreiro da Colmeia e literalmente arrancou a sua cabeça sem sequer sacar da sua pistola de íons. O sangue jorrou por todo lado enquanto ele atirava o corpo para os restantes, antes de ir atacá-los.

Eu deveria ter tentado ajudar, mas rolei para o lado e coloquei-me de joelhos, com a pistola preparada.

Era muito tarde, os três já estavam mortos. Mais corpos se acumularam aos seus pés e pareciam sacrifícios para um deus sedento por sangue.

Eu observei, chocada com a carnificina. Dois dos homens de Seth ficaram ao meu lado, observando a situação tal como eu. Eu estava bastante certa de que nenhum de nós tinha visto algo tão brutal, na Terra ou em qualquer outro lugar. Eu não fazia a mínima ideia de por que o alienígena sequer carregava uma arma. Aquelas mãos, aquelas mãos enormes, já eram armas por si só. Eu sabia de um ditado na Terra sobre quando alguém estava puto, arrancava a cabeça dos outros, mas isto... Merda, isto era de verdade.

Seth riu no meu ouvido e saiu de trás de um contentor de carga enquanto eu permanecia de joelhos, meu rifle agora estava apontado para o alienígena que rosnava como se fosse um urso.

— Seja bem-vindo à nossa pequena festa de luta, Atlan. Sou o Capitão Mills. — Seth não levantou o seu rifle, mas também não o colocou de lado. Eu mantive o meu firme, apontado para a cabeça do guerreiro.

O gigante grunhiu e ficou de pé na sua altura máxima, o que me fez pestanejar. Bruscamente. Os seus ombros eram enormes, o seu peito era grande o suficiente para que uma garota alta como eu se aconchegasse nele. Eu queria *tocar* nele, e a vontade de o fazer irritava-me. Quando o gigante falou, a sua voz profunda e retumbante viajou direto para o meu núcleo e os meus mamilos endureceram. Sexo personificado. Oh, céus, ele era o homem mais gostoso que eu já tinha visto. Completamente.

— Você não é a Capitã Sarah Mills.

Seth riu e eu senti o meu coração saltar uma batida. *Capitã Sarah Mills?* Este guerreiro sabia quem eu era?

Optei por manter-me em silêncio, olhei nos olhos do meu irmão durante um segundinho e acenei para que ele continuasse. Se este grandalhão estava à minha procura, eu não tinha certeza de que queria ser encontrada.

Seth tirou o seu capacete e segurou-o com o braço esquerdo, com a direita ainda segurando seu rifle de íons. — Não, não sou. Essa seria a minha irmã, que teve sorte na sua Bateria de Aptidão Profissional das Forças Armadas e aprendeu a voar. O que quer com a Capitã Mills?

Ao invés de responder, o guerreiro cerrou os seus punhos e colocou-os nas laterais como se lutasse para se manter no controle. À minha volta havia rifles firmemente apontados enquanto esperávamos para saber o que o Atlan iria fazer. — Ela não está aqui?

— Quem pergunta? — Seth levantou seu rifle de íons para se certificar de que o Atlan sabia que era melhor comportar-se. — Eu não te conheço, soldado. Foi transportado durante uma operação em andamento, e colocou em perigo duas unidades. Tenho cinco mortos porque você apareceu aqui de surpresa. Do meu ponto de vista, eu deveria atirar em você e começar a limpar a tua sujeira.

O Atlan deixou-se cair, como se estivesse incomodado com o que o meu irmão disse. — Peço desculpas pela sua perda. Não nos apercebemos de que eu seria transportado para uma zona de combate ativo. Foi um erro terrível.

— Por que está aqui?

Apertei o meu rifle à espera da resposta dele.

— Eu estou à procura da Capitã Sarah Mills.

— Por quê?

— Por que ela é minha.

A minha cabeça balançava um *mas nem pensar*, antes mesmo de eu sequer processar as suas palavras. Com as sobrancelhas erguidas, levantei-me e abaixei meu rifle. — Grupo Sete, mantenha-no na tua mira.

Um coro de reconhecimento soou nos meus ouvidos enquanto eu abaixava o meu rifle de iões e tentava decidir o que fazer. O gigante virou-se ao ouvir o som da minha voz e eu retirei o meu capacete, deixando-o cair no chão. Ele parecia querer mover-se na minha direção e eu levantei minha arma para impedi-lo. — Não.

— Você é a Sarah Mills.

— Como me conhece? Eu não conheço nenhum Atlan.

— Olhá-lo nos olhos foi um grande erro visto que a luxúria instantânea que senti por observá-lo mais cedo voltou com toda força. Eu sentia-me tentada a lamber os meus lábios e provocá-lo para que ele se aproximasse, o que era simplesmente estúpido. Enquanto eu olhava com a expressão mais vazia que conseguia tentar esboçar, um zumbido estranho dançou sobre a pele do meu pescoço e rosto. Eu fiquei tensa e o meu olhar voou para Seth. Os seus olhos se arregalaram enquanto eu sentia a energia aumentar.

— Aproximação! — Gritei, mergulhando para o chão enquanto uma explosão de energia limpou o centro da sala.

Quando o abalo terminou, três soldados da Colmeia estavam exatamente no lugar de onde nós tínhamos saído.

O Atlan rugiu, preparando-se. Os meus homens abriram fogo do convés superior sobre os membros surpresa da Colmeia. Os soldados não atacaram como eu temia, mas acenaram uns para os outros e desapareceram – sendo transportados no vazio – um por um.

No entanto, o último estava a poucos centímetros de distância do Seth. Ele agarrou o meu irmão e girou, içando Seth no ar para utilizá-lo como escudo humano enquanto o rifle de íons do meu irmão caía sobre o chão, aos seus pés.

Seth!

Levantei o meu rifle, mas não conseguia atirar sem atingir o meu irmão. O Atlan olhou para eles e congelou a meio caminho. Todo o meu treinamento manteve-me em posição, a minha firme pontaria manteve-se enquanto esperávamos para ver o que o soldado da Colmeia faria.

— Solte-o. — Gritei para o soldado da Colmeia, mas ele me ignorou, o seu olhar estava sob a verdadeira ameaça, o gigante Atlan a apenas alguns passos de distância.

Seth debateu-se, procurando pela seringa do seu lado enquanto ele gritava para todos nós. — Façam! Atirem nele.

— Não! — Gritei para o meu irmão enquanto o membro da Colmeia dava um passo atrás, afastando-se de nós, o meu irmão estava agarrado ao seu peito como um escudo.

No meu ouvido, a voz de Richards era como a própria tentação do diabo. — Eu posso atirar, capitã. — Ele estava sobre mim, e seria um tiro decente, mas não perfeito, nem perto de um verdadeiro atirador, e era a vida do meu irmão que estava em jogo. Richards teria uma janela de cerca de dez centímetros para matar o soldado da Colmeia e deixar Seth respirar.

— Não. Ainda não.

O guerreiro da Colmeia que segurava Seth levantou a sua arma e apontou para o Atlan. Todos estávamos parados enquanto o soldado da Colmeia de olhos prateados e sem emoção rastreava a sala. Antes que pudéssemos fazer mais alguma coisa, o soldado da Colmeia pressionou um botão no seu uniforme e ele... ele desapareceu. E Seth também.

Desapareceram. Puf. Desvaneceram-se do nada. Na Terra, não havia algo do tipo teletransporte. Isso era coisa de antigos programas de televisão, mas nunca aconteceu na vida real. Apenas aqueles que lutavam pela Aliança tinham visto aquilo na vida real. *Um para subir, Scotty.* A primeira vez que eu fui transportada, fiquei aterrorizada. A tecnologia era para ser legal, e tinha sido, até agora. Agora, o meu irmão tinha sido transportado para algum lugar, algum lugar da Colmeia. Algum lugar onde eu sabia que eles tornavam combatentes da Aliança em máquinas, substituindo partes do corpo deles com implantes sintéticos até que não restasse nada do indivíduo. Ele estava ali num segundo, e desapareceu no segundo seguinte.

A não ser que o meu irmão tenha escolhido a porta número dois. De uma só vez, a memória da sua mão tentando alcançar a seringa que estava na sua coxa tocava como um disco riscado na minha mente. — Seth! — Eu gritei.

O doido do Atlan – aquele que tinha destruído a nossa operação e feito com que a Colmeia levasse o meu irmão – virou a sua cabeça e olhou para mim. Aqueles olhos escuros estreitaram, os seus lábios cheios ficaram finos. Ele não desviava o olhar, nem mesmo quando cada arma de íons na sala apontou na sua direção. Eu senti alguma coisa, algo primitivo e explosivo brilhando em mim enquanto nos entreolhávamos.

Mas que raio. Ele era... e eu me sentia... e... Caramba. O meu cérebro não batia bem. O meu corpo ignorava qualquer noção de segurança pessoal enquanto eu marchava na direção do homem, pronta para atacar com cada gama de força que restava em mim. Levantei o meu rifle de íons e avancei até o fim pressionando a arma contra a armadura do guerreiro, bem no seu coração. Olhei-o nos olhos e percebi que ele não tinha tentado me impedir. Ele nem sequer tocou em mim, ao invés disso, o seu olhar sombrio estava cheio de dor enquanto me olhava.

Os nossos olhares se fixaram um no outro e eu não consegui fazer, não consegui atirar. Estudei o seu queixo duro e sua boca cheia, os olhos escuros e cabelo preto e sedoso que caía até o queixo. Ele era verdadeiramente deslumbrante em todos os sentidos, a sua força era espantosa e avassaladora. Mesmo com a raiva pulsando pelo meu corpo, eu não conseguia apertar o gatilho. A captura do meu irmão não era verdadeiramente culpa deste guerreiro. Não era culpa de ninguém. Era esta guerra. E guerras eram uma porcaria.

— Capitã! — A voz de Richards tirou-me do meu transe e eu abaixei a arma, mas não me distanciei do guerreiro.

— Você vai me ajudar a encontrar o meu irmão.

Os seus olhos se arregalaram de surpresa, mas ele assentiu. — Tem a minha palavra.— Aquela voz, aquelas quatro palavras, eram como um deslizamento de pedras. Difíceis, duras e profundas.

Apaziguada por enquanto, dei um passo atrás.

— Aliança, tudo limpo! — Gritei, sinalizando que era seguro ficar de pé. Estava na hora de sairmos dali.

O Atlan observou-me atentamente, mas não se mexeu. Todos nós sabíamos pelo seu uniforme que ele era da Aliança, mas a forma como ele se comportava, o sangue que cobria as suas mãos? Ele era uma ameaça e o seu silêncio ajudou-nos a acalmarmo-nos e a não matá-lo.

— Eu quero que quatro de vocês fiquem aqui e nos

protejam. Três da Colmeia se transportaram e levaram o Capitão Mills. — disse eu, zangada por eles terem conseguido se infiltrar e levado Seth. *Ele* tinha permitido que isso acontecesse. — E você.

Apontei para o lutador perigoso.

O seu olhar varreu a sala, depois, encontrou-se com o meu. Havia calor na forma como ele olhava para mim, desejo. E isso me irritava. Nós estávamos no meio de uma zona de guerra. Eu não precisava – ou queria – me sentir atraída por alguém no meio de uma batalha. Eu não era uma magricela, mas o seu olhar me fez sentir pequena e feminina. Feminina? Aquilo era uma loucura porque eu era tudo, menos isso na minha armadura da Aliança. A curva dos meus seios estava bem escondida por debaixo da armadura do meu peito. Meus quadris estavam bem disfarçados sob a calça preta da armadura. Ninguém aqui mais me via como sendo uma mulher. Eu era a líder deles e nada mais.

O fato de ele me ter feito pensar em sexo neste preciso momento fez com que os meus músculos enrijecessem de raiva.

— Quem é você e por que raios está me procurando? — Exigi.

— Sou o Warlord Dax, de Atlan, e sou o parceiro que foi emparelhado contigo. Você é minha.

— Está de brincadeira? Este é o tipo de piada que a hamsterzinha gosta de fazer? Eu não sou uma noiva, Warlord Dax, de Atlan. Peço desculpa. Vai ter que ir se foder. — Atirei as minhas mãos para o ar e acenei para a equipe de Seth. Tendo Seth desaparecido, eles agora eram meus. Estavam sob a minha responsabilidade. — Quatro de vocês, fiquem aqui, e fiquem atentos. Preparem um bloco de transporte para que não tenhamos mais surpresas.

— Sim, senhor.

— Médicos, protejam os feridos, certifiquem-se de que fizemos tudo o que podíamos e transportem-nos daqui para fora. — Eu caminhei em direção à porta. — Três de vocês vêm comigo para a ponte. Richards, quero você na verificação de sistemas. Pessoal da minha unidade, juntem-se a alguém do Quatro e verifiquem os outros convés. Vocês já sabem como isso funciona.

Ambas as equipes apressaram-se a fazer o que foi ordenado e eu ignorei o grande alienígena enquanto ele seguiu os meus passos ao meu lado. Sentia-me como se um *cocker spaniel* estivesse ao lado de um *Rottweiler*. Ainda assim, tínhamos três membros armados da minha unidade atrás de mim, e eu estava com o meu rifle de íons.

— Este termo que utiliza, foder? Está associado simplesmente ao fato de um homem entrar no cio com uma mulher e dar-lhe prazer, não com... combate.

Os homens sobre mim relaxaram um pouco com as palavras dele, pensando que Dax estava brincando. Ele não estava. O calor ardeu nas minhas bochechas, mas não foi por vergonha. Não, foi a imagem mental instantânea deste Warlord pressionando-me contra a parede mais próxima, arrancando a minha calça, abrindo-me e fazendo amor comigo.

Se eu alguma vez voltasse para a Terra, ia matar uma certa hamsterzinha.

— Qual é o teu problema? — Sentia-me muito melhor por desviar o meu interesse nele para a frustração. — Eles não te disseram que eu optei por não participar do programa de noivas?

— Sim.

Eu parei no meu caminho ao ouvi-lo assumir e ele deu

um passo mais perto, então, tive que inclinar o queixo para cima para ver seus olhos escuros. Eu não ia me afastar. O seu olhar pairava sobre o meu rosto e descia pelo meu corpo. Não era o olhar de nenhum guerreiro com o qual eu já havia trabalhado. Isto era descarado e sexual, cheio de um calor possessivo que eu nunca tinha visto antes e... Caralho, os meus mamilos endureceram. Graças a Deus eu tinha esta armadura no peito.

— E você acha que isso me importa? — Ele arqueou uma sobrancelha como se esperasse que eu curvasse a minha cabeça e o deixasse levar-me como uma princesa de conto de fadas. Aquilo não ia acontecer. Nada ia acontecer até eu ter os meus homens de volta a bordo do Karter e o meu irmão de volta da Colmeia.

Ele estendeu a mão para me agarrar o braço, mas eu levantei o meu rifle de íons, parando-o, e o punho dele tocou na sua armadura dura. Os meus homens também apontaram as suas armas para ele. Ele parou, mas não pareceu minimamente incomodado... ou com medo de morrer se fizesse um movimento errado.

— Abaixem as armas. — ordenou ele.

Ninguém seguiu a sua ordem e eu levantei uma sobrancelha com um prazer silencioso, sabendo que os meus homens iriam ficar do meu lado.

— Se o meu título de Warlord não for suficiente, as listras do meu uniforme indicam que eu sou superior a todos vocês. — disse ele, apontando com um dedo sangrento para o símbolo no seu ombro. — Estou contente por defenderem e protegerem a minha parceira, mas vocês vão abaixar as armas ou terão de enfrentar punição militar.

Ele estava certo. Embora ele claramente fosse de um planeta diferente, um planeta onde os homens comiam muito espinafre, como o *Popeye,* para ficarem tão grandes, ele usava o uniforme da Aliança que todos nós reconhecemos. Ele *era* de uma patente superior à minha e nós éramos, tecnicamente, obrigados a obedecer às suas ordens.

Os meus homens permaneceram com as armas levantadas e eu percebi que tudo isto dependia de mim. Se eu dissesse aos meus homens para lutar contra o alienígena grande e mau, eles o fariam. Mas eles muito provavelmente acabariam em alguma prisão da Aliança por eu não conseguir controlar o meu temperamento. Não tinha o hábito de pedir aos meus homens que se sacrificassem por mim, especialmente por algo tão ridículo.

Virando-me, acenei-lhes com a cabeça para baixarem as armas. Esta era uma batalha para os ouvidos do Comandante Karter. Teria de esperar até regressarmos à nossa nave de guerra.

Ele olhou para mim e foi a sua vez de arquear uma sobrancelha, pois eu ainda tinha de tirar a minha arma da sua barriga. Embora ele agora estivesse no comando do grupo no cargueiro, isso não significava que eu não continuaria zangada com ele. De má vontade, eu baixei a arma.

— Quem é você, faz a mínima ideia do que fez? — Comprimi as minhas mãos tornando-as em punhos nas minhas laterais para não bater nele. — Eu perdi homens bons hoje. E a Colmeia acabou de levar o meu irmão!

— Eu peço desculpa pelos guerreiros que perdeu. Mas o teu irmão poderia ter te mantido em segurança na Terra, onde você pertence. Uma mulher não pertence ali, no combate, lutando contra o inimigo. — ele rebateu.

— O meu *irmão* não tem voz no que eu faço.

— Obviamente. *Eu*, no entanto, *tenho*.

Os meus olhos se arregalaram naquele momento e eu ri.

— Pode ser de uma patente superior à minha, *senhor* — coloquei grande ênfase na última palavra —, mas não é o meu parceiro.

— Com todo o devido respeito, Warlord. — o meu segundo em comando, Shepard, colocou-se ao meu lado. Ele parecia dar a este... Dax mais respeito do que eu. Mas ele não ia ser chamado de *parceiro* do grandalhão. — Tenho de questionar a... precisão da sua afirmação. A Capitã Mills está conosco há dois meses. As leis da Terra não permitem que um soldado entre no programa do batalhão de combate se forem casados. Ou estiverem emparelhados.

Shepard era diplomático, claramente temeroso de chamar de idiota a este Warlord. Mas Dax tinha de estar errado, absolutamente errado, porque não havia como eu estar emparelhada com este bruto prepotente. Nem mesmo o meu subconsciente seria tão cruel comigo.

Ao invés de arrancar a cabeça de Shepard, Dax respondeu: — Esta fêmea terrestre é a minha parceira escolhida pelo Programa Interestelar de Noivas e eu vou tomá-la.

Oh, merda. Ele *era* de Atlan. Do planeta que a Guardiã Egara disse que eu tinha sido emparelhada. Neguei com a cabeça. — Eu deixei o programa porque tudo aquilo tinha sido um enorme erro. A Guardiã disse que eu não podia ser emparelhada se não tivesse dado o meu consentimento. Eu, agora, sou um soldado, e tenho quase a certeza de que não há nada que você possa fazer quanto a isso.

— Vai dizer ao Comandante Karter que é a minha parceira e vai renunciar à tua comissão com a frota da Aliança.— Ele estava claramente ignorando tudo aquilo que eu dizia.

Coloquei as minhas mãos nos quadris. — Eu não vou fazer nada disso, seu grande idiota.

Ele franziu a testa. — Eu não conheço esse termo, mas parceiro será o suficiente.

Eu dei um passo atrás, não porque tinha medo de Dax, mas porque ele podia estar certo quanto a toda esta confusão estúpida. Lembrei-me daquela pequena idiota da assistente, a Guardiã Morda, e de como ela tinha estragado tudo, para começo de conversa. Ela poderia ter feito outra coisa para estragar tudo depois de eu ter sido integrada na frota da Aliança? Podia ter feito algo do tipo não apagar o meu perfil e não me tirar do sistema?

Oh, merda.

— Nós fomos emparelhados. — Ele inclinou-se para frente, sem nunca quebrar o contato visual. — Você é minha.

Estremeci. Eu não podia ser uma parceira. Certamente, não poderia ir atrás de Seth se eu fosse obrigada a sair do exército para me tornar a noiva de alguém. Eu duvidava que este alienígena gigante quisesse que eu fizesse muito mais do que um bebê. Ele já tinha dito que o lugar das mulheres não era em combate. Isso não me fazia crer que ele ia querer que eu levasse uma equipe a um centro de integração da Colmeia e salvasse Seth.

Mesmo assim, ele já tinha me dado a sua palavra de que me ajudaria a salvar o meu irmão.

Muito provavelmente, ele planejava me dar uma tapinha na cabeça como uma boa menina, deixando-me para trás enquanto ele saía para matar dragões. Eu senti uma vibração super protetora muito óbvia vinda dele. E aquele não era o meu estilo.

Ele podia obrigar-me a me demitir da minha comissão com a frota? Eu não conhecia as regras. Visto que eu tinha sido emparelhada através dos sistemas deles, será que ele podia me obrigar a sair do exército? Será que este macho Atlan gigante podia obrigar-me a tomar uma decisão?

Além disso, eu não *queria* um parceiro.. Eu tinha lidado com homens demais na minha vida – um pai chato, três irmãos, comandantes no exército, colegas soldados – Eu não precisava, também, ter de lidar com um parceiro. E ele? *Ele!* Céus, este homem foi emparelhado comigo? Até agora, ele não tinha feito nada além de me chatear. Portanto, não importava que ele fosse sexy – sexy do tipo muito, *muito* sexy. E também não me importava que a minha mente conjurasse imagens dele fodendo-me contra a parede, martelando com força contra mim uma e outra vez até eu gozar sobre o seu pau enorme. E eu sabia que era enorme. Tinha que ser.

Eu recusava-me a acreditar que os meus sentimentos eram provocados por qualquer tipo de coisa de... acasalamento. Muito provavelmente, reparei nele, devido à seca sexual épica que eu vivia. Dois anos e meio sem sexo levaria qualquer mulher sã a reparar no macho enorme. Eu só queria um orgasmo ou dois e não me opus à ideia de ele me dar. Só porque eu era uma mulher não significava que não podia foder e, depois, dizer tchau. *Foder e correr* também podia ser bom para mim. Certo?

Esta atração era puramente biológica. Ele fez com que os meus mamilos ficassem duros, e depois? O tempo frio fazia a mesma coisa e sendo da Flórida, eu também odiava a neve. Dax era obviamente mandão e descaradamente chauvinista, dominador e avassalador... e assim por diante. Eu tinha tido sorte em escolher a Aliança ao invés dele. Acasalada... com ele! Ha!

— Eu não vou contigo, mas você pode me seguir. —

disse-lhe, empurrando-o com a ponta do meu rifle. — Shepard, estamos de volta ao espaço da Aliança?

Shepard verificou a sua plataforma de dados e acenou. — Sim, senhora.

— Perfeito...— Os meus homens estariam a salvo agora, a nave, protegida por patrulhas da Aliança e escoltada de volta ao grupo de combate para limpeza e realocação. — Shep, está no comando da limpeza. Eu vou levar o meu *parceiro...* — disse a palavra com desdém e sarcasmo.— de volta para a Karter. Temos assuntos a tratar.

Dax franziu a testa, mas eu recusei a desviar o olhar. — *Você* vai voltar comigo para a Brekk.

Eu levantei a minha pistola e estreitei os olhos. — Não. Não vou. *Nós* vamos encontrar o Comandante Karter, planejar uma missão de resgate e conseguir um divórcio espacial.

Acho que ele rosnou de verdade. O quê? Será que ele era meio monstro ou algo assim?

5

DEMOROU uma hora para que a minha parceira conversasse com o seu comandante sobre os eventos da batalha para a qual eu tinha sido diretamente transportado. Quando isso terminou, ordenaram-nos que reportássemos à sala de guerra do convés de comando do Comandante Karter. Agora, estávamos no lado oposto da mesa do Comandante Karter. A minha parceira estava ao meu lado perante o líder Prillon. Como todos os comandantes Prillon, ele era quase tão grande quanto eu, com cabelos e olhos dourados que nos olhavam como o predador que ele era. Não havia suavidade na sua expressão ou empatia nos seus olhos. Sentava-se rígido e atento por detrás da mesa, calculista e sereno apesar da crescente irritação da minha parceira.

— Eu quero ir atrás dele. — disse ela ao seu comandante, o queixo dela estava colocado numa inclinação que indicava desafio. Eu estava de pé, apenas ouvindo. Eu dei o meu tempo, já não tardaria a ter a minha chance de falar. — Levo voluntários.

O comandante dela suspirou e continuou a ignorar-me. — Não posso sancionar uma missão de resgate a um centro de integração para um combatente da Aliança. As coisas já são suficientemente precárias por aqui por si só, capitã. Não posso arriscar guerreiros por uma missão que provavelmente está condenada ao fracasso. Estamos segurando este setor por pura força de vontade. Não posso arriscar a vida de combatentes bons e fortes numa corrida suicida por um homem que provavelmente já está perdido.

E lá estava, a verdade que a minha parceira não queria ouvir. Eu podia ver a mistura de fúria e tristeza cintilar no rosto dela, mas ela disfarçou-a bem. — Eu tenho de tentar. Ele é meu irmão.

A dor dela fez-me ansiar por puxá-la até mim e mantê-la por perto. A força de vontade de abraçar uma fêmea alienígena, de acalmar as suas emoções, só confirmou que eu estava à mercê da ligação de acasalamento. Estudei-a agora, à minha vontade, enquanto ela estava diante do seu comandante e tentava esconder a sua dor com um orgulho feroz que eu admirava. Ela parecia muito mais vibrante e bonita do que a imagem que eu tinha visto no tablet da doutora. Aquela imagem tinha sido plana, sem o seu fogo ou a inclinação teimosa do seu queixo. Na verdade, ela parecia muito... mais.

Ela estava vestida com o uniforme familiar dos combatentes da Aliança, a armadura corporal disfarçava facilmente cada uma das suas curvas. Talvez por ela ser a minha parceira ou por ser tão atraente, mas eu a queria com uma ferocidade que nunca antes tinha experimentado. Eu tive

que me concentrar para ouvir a sua conversa com o comandante, visto que visões minhas rasgando a sua armadura aos
poucos e explorando as suas curvas com a minha língua
quase me dominaram. Ela era *totalmente mulher*, e era
minha. Os seus cabelos escuros estavam puxados para trás
numa espécie de *bola* apertada na parte de trás do seu
pescoço. Eu tive de me perguntar qual seria a sensação de
ter o seu cabelo emaranhado nos meus dedos enquanto
puxava a cabeça dela para trás para lhe dar um beijo. Sua
pele era pálida, muito mais clara do que a minha ou do que
a de qualquer outra pessoa em Atlan. Eu duvidava que ela
passasse do meu queixo, mas ela era grande para uma
fêmea. Ela não era frágil ou delicada, mas obviamente arro-
jada, ousada e atrevida como tudo. Minha fera interior
adorava todo aquele fogo e o meu pau queria prová-la. A
fera que havia em mim arranhava-me por dentro, querendo
sair, queria atirá-la sobre o meu ombro e levá-la para longe.

Eu sabia que qualquer homem que olhasse para ela
ficaria instantaneamente atraído e lutei contra o impulso
primordial de marcá-la com o meu cheiro, esfregar a minha
pele e o meu sêmen em toda a sua carne para ter certeza de
que todo macho que se aproximasse dela soubesse exatamente a quem ela pertencia. Ela era minha e eu precisava
que todos soubessem, incluindo a fêmea teimosa que,
mesmo agora, tentava descobrir uma maneira de se livrar de
mim. Só conseguia pensar em enterrar o meu pau dentro
dela e tudo o que ela queria era obrigar-me a sair de perto
dela.

O desafio irritou minha fera de uma maneira que eu não
tinha previsto, e eu me sentia ansioso por experimentarar os
dentes e as garras no quarto. Como ela tinha acabado por
não se acasalar até agora era algo que me admirava. Como

era possível que nenhum homem da Terra a tenha desejado ou tomado? Isso me fazia pensar que havia algo de errado com aquela espécie de machos. Os homens humanos deviam ser idiotas.

— Estou ciente de que ele é seu parente. — O Comandante Karter levantou a sua mão, já que ela estava prestes a falar novamente. — Também estou ciente de que dois dos seus irmãos já morreram nas mãos da Colmeia. Sinto muito pela sua perda, mas não há nada que eu possa fazer.

Dois irmãos dela morreram nas mãos da Colmeia? Isso explicava muita coisa. Quantos mais irmãos ela tinha? Será que as famílias da Terra eram próximas como as de Atlan? Será que havia uma afinidade, um amor entre irmãos que a levava a precisar de o resgatar? Se esse era o caso, eu entendia, porque eu também tinha um irmão. Se ele fosse capturado, eu também tentaria resgatá-lo. Mas ela era uma fêmea e minha parceira. Se ela precisava saber que o seu irmão estava em segurança, eu trataria disso por ela.

Eu murmurei e tanto ela quanto o seu comandante voltaram-se para mim.

— Eu irei atrás do irmão dela. Foi a minha interferência que levou à captura dele.

Eu não devia estar impressionado com as suas habilidades de guerra, eu tinha testemunhado as suas capacidades táticas naquele cargueiro. As fêmeas não lutavam. Elas aplacavam, acalmavam e cuidavam. Elas não eram estúpidas; na verdade, muito pelo contrário. Uma mulher era a única coisa que podia domar a fera interior de um parceiro e isso requeria uma inteligência aguçada. A febre inicial do acasalamento era reduzida pela união, mas a raiva imprevisível da fera nunca se dissipava verdadeiramente. As nossas parceiras sabiam como acalmar a raiva que crescia dentro de nós, muitas vezes silenciosamente. Eu nunca tinha sentido um nível tão elevado de raiva e de ira como quando ela estava sob grande perigo.

Eu queria protegê-la, fodê-la e cuidar dela. Mas Sarah Mills não queria um parceiro e não parecia ser uma pessoa que fosse boa a acalmar. Portanto, eu conquistaria o seu coração do único modo que eu sabia, trazendo o seu irmão de volta para ela.

O comandante se recostou novamente na sua cadeira e cruzou os seus braços sobre o seu peito enorme. Se eu fosse humano, teria ficado intimidado, mas eu era um Atlan, e era muito maior do que o guerreiro Prillon, que agora me observava. Acolhi alegremente a sua ira, feliz por redirecionar a minha irritação para longe da minha parceira. — Você é todo um outro problema, Warlord Dax. O que raios está fazendo no meu setor sem autorização?

— Eu vim buscar a minha parceira.

— Eu sou uma guerreira, não uma parceira. Eu disse isso ao programa de noivas. Lamento que não tenha recebido o memorando. — Ela olhou para o comandante. — Pode designar-me um esquadrão que talvez esteja, pelo menos, lutando numa área em torno do centro de integração mais próximo deles?

— Quer ser capturada e transformada num ciborgue? — Perguntei, a minha voz parecia elevada naquela pequena sala. Ela recusou-se a ceder e eu recusei-me a sair sem ela. Não podia. Embora as algemas não estivessem no pulso dela – ainda – eu não abandonaria a minha parceira. Ela era minha e eu iria protegê-la – até mesmo dela própria – com a minha vida.

Ela revirou os olhos. — Não, mas eu tenho de salvar o meu irmão.

— Não, não tem. Eu vou resgatá-lo por você.

Ela abriu a sua boca, o olhar dela cuspia fogo, mas o seu comandante se levantou do seu lugar e bateu com a mão na mesa. — Nenhum de vocês vai ao território da Colmeia resgatar um homem morto. Capitã Mills, o seu irmão está morto. Se eles não o mataram logo, ele foi integrado na mente da Colmeia, o seu corpo foi alterado com tecnologia sintética que não poderemos remover. Ele está morto. Peço desculpa. A resposta é não.

O comandante virou-se para mim. — E você, Warlord Dax, vai voltar para a sala de transporte e deixar a minha nave. Do que ouvi dizer das suas atitudes, creio que não preciso que entre em modo *berserker* e seja abatido. Vá para Atlan e encontre uma nova parceira.

— A minha parceira está aqui. Se eu sair desta nave, ela vem comigo.

Embora fosse verdade, eu preferia que a minha parceira aceitasse o nosso emparelhamento, a união forçada *era* possível. Por vezes, era a única forma de salvar a vida de um guerreiro. Eu não iria obrigá-la a aceitar a união, mas simplesmente estar na presença dela já acalmava a fera que havia em mim. Eu a seduziria, faria-a gozar uma e outra vez até ela pensar que não havia nada além de me agradar, de me foder e de me acalmar.

Cruzei os meus braços sobre o peito. Eu sabia que ela não gostaria de ser comandada, mas eu a levaria de lá se necessário.

Eu não precisava de um emparelhamento completo para acalmar a fera por ora, eu só precisava estar perto dela. A união forçada era desonroso, um ato de desespero cometido por um homem desesperado, e era algo que eu não faria. Forçar uma união entre nós era ruim para a união a longo prazo. Se eu ficaria emparelhado com esta mulher da Terra durante o resto das nossas vidas, eu queria que ela, pelo menos, gostasse de mim. Eu queria fodê-la, mimá-la, acarinhá-la – e fodê-la mais um pouco, mas eu não aceitaria uma fêmea relutante.

Eu preferia morrer.

No entanto, eu estava ansioso por jogar o jogo da sedução.

— Ela não vai contigo, Warlord, porque ela não aceitou o seu emparelhamento. Ela não é uma noiva da Aliança, ela é a Capitã Mills da Unidade de Reconhecimento 7. — O comandante era igualmente inflexível. — Neste momento, ela é minha. Os guerreiros *Prillon* não obrigam fêmeas a entrarem em uniões de acasalamento que elas não desejam.

Sarah sorriu naquele momento e o meu pau inchou. Não havia dúvidas de que ela ficava ainda mais linda quando não estava toda rígida e recatada. Ela sentiu-se vitoriosa e poderosa com o comandante apoiando-a, mas aquilo não lhe levaria a conseguir o que ela queria para ser feliz e estava na hora de lembrar-lhe disso.

Apontei para o comandante, mas voltei-me para ela. — Ele não te vai deixar ir buscar o teu irmão.

O seu olhar lançou-se desde o meu rosto até o seu comandante. — O que é que eu *posso* fazer?

— Voltar para a tua unidade e cumprir as ordens até os teus dois anos terminarem.— Quando os ombros dela endureceram ao ouvir as palavras diretas do seu comandante, ele acrescentou: — É uma das melhores líderes de reconhecimento que temos. É inteligente, rápida e não entra em pânico sob fogo. Os homens confiam em você. Pode fazer muitas coisas boas aqui, capitã. Nós precisamos de oficiais como você.

Rosnei novamente; pensar na minha parceira voltando para o combate sem mim ao seu lado era mais do que minha fera podia tolerar. Só de pensar no tiroteio que eu tinha testemunhado, explosões de íons passando sobre sua cabeça, fizeram a minha fera começar a movimentar-se. O comandante saberia do meu descontentamento ao ouvir as suas palavras. Para um Prillon, ele era grande, mas eu era maior. — Ela *não* vai voltar para o combate.

— Volte para Atlan, Warlord. — ele rebateu. — Encontre outra parceira.

— Eu não quero outra.

Os ombros da Sarah ficaram tensos ao ouvir os meus votos e o seu olhar lançou-se para o meu rosto como se ela não acreditasse nas minhas palavras.

— Então, espere até que os dois anos de serviço dela terminem. — o comandante ordenou.

— Que inferno. — rosnei. — Eu já vou estar morto a essa altura.

As sobrancelhas dela subiram.

O comandante olhou para mim. — Febre de acasalamento? Quanto tempo tem?

— Não muito. — Dei-lhe uma breve resposta enquanto olhava para Sarah.

— O que quer dizer com estar morto? Está doente? — ela perguntou. Eu vi preocupação lutar por espaço dentro do coração dela, ao lado da raiva. Talvez houvesse esperança para nós, afinal.

— Comandante, posso falar com a minha parceira... em privado?

O Prillon olhou para nós dois. Quando Sarah acenou, ele saiu sem dizer outra palavra, a porta fechou-se atrás dele.

Ver a preocupação dela por algum motivo deu-me alguma esperança.

— Febre do acasalamento. — disse-lhe. — Os machos Atlan a têm, embora quando ela nos atinja seja única para cada indivíduo. Dura várias semanas, crescendo lentamente até nos consumir por completo. Eu sou mais velho do que a maioria que tem a febre, mas isso é irrelevante. Quando ela toma o controle, domina a lógica e o raciocínio e transforma o macho, eu, naquilo que nós chamamos de *berserker*. — Eu levantei as minhas mãos manchadas. — O meu corpo transforma-se em algo que se parece mais com um animal do que com um homem. A raiva enche-me até não haver mais raciocínio, somente instinto animal puro. Posso arrancar as cabeças de membros da Colmeia sem pestanejar, mas eu não vou querer parar. A única coisa que pode controlar um *berserker* de Atlan é a sua parceira. A única forma de acalmar a fera é ser acalmado e aceito pelas nossas parceiras, ou seja, foder.

Os olhos dela se arregalaram.

— E se você não... foder, você morre? Isso não faz sentido. — disse ela, surpreendida. Só de ouvir a palavra *foder* dos seus lábios me fez gemer.

— Chama-se febre do *acasalamento* por algum motivo. É para garantir que todos os machos de Atlan sejam acasalados e unidos de forma adequada, permitindo a continuação da espécie. Se um macho não acasalar, ele morre.

— É tipo a sobrevivência do mais apto. — respondeu ela.

— Eu não conheço esse termo.

Ela levantou a sua mão. — Não importa, mas eu compreendo... o conceito. Se tem de foder alguém, então, vá procurar uma prostituta do espaço ou algo do gênero — ela respondeu, balançando a sua mão no ar. — Não precisa de mim. Qualquer vagina servirá.

A raiva inchou na sua última declaração. — Não serve qualquer uma. — rosnei, depois, respirei fundo. É claro, há pouco tempo eu teria pensado de forma diferente, mas, agora, ela estava diante de mim. Agora, eu sabia, lá no fundo da minha alma, que esta mulher da Terra era minha. Eu não precisava que um programa de emparelhamento verificasse isso. — É a *febre do acasalamento*. Isso significa que só pode acabar ao foder uma *parceira*. No meu caso, isso significa que é você.

Quando ela permaneceu em silêncio, eu continuei. Dando um passo em frente, eu disse: — Sabe o que eu vejo quando te olho?

Ela balançou a cabeça.

— A tua pele é a pele mais pálida que eu quero tocar. Pergunto-me o quão suave ela é. É suave em todo lugar? Os teus seios, você tenta escondê-los por debaixo da tua armadura, mas eles são redondos e cheios. Facilmente cobrirão as minhas mãos cheias. Eu quero envolvê-los e sentir o seu peso. Quero observar enquanto os teus mamilos endurecem enquanto eu passo os meus polegares sobre eles, acariciando-os. Esse teu lábio inferior bem cheio, pergunto-me qual será a sensação quando eu o mordiscar. E a tua boceta...

Ela estendeu uma mão, muito provavelmente para me afastar, mas a mão dela assentou sobre o meu peito. Eu cobri a sua mão com a minha e encaminhei-a para trás até ela ir contra uma parede. Eu não lhe dei espaço – isso não era o que ela precisava – e pressionei-a com uma das minhas pernas entre as dela. Por causa da diferença de tamanho, ela praticamente cavalgava na minha coxa.

Observei-a enquanto suas pupilas dilatavam-se e a sua boca abria. Céus, ela agora não pensava. Se havia uma fêmea que precisava parar de pensar era esta. Ela precisava que outra pessoa olhasse por ela, cuidasse dela, para variar. Começando neste preciso momento.

— Você é minha, Sarah, e eu não vou desistir de ti.

— Eu tenho de te foder e, depois, você fica curado? Não morre? — Ela olhou para mim de uma maneira muito mais quente e eu deixei-a olhar, deixei-a ver o desejo nos meus olhos, senti a aproximação do meu corpo ao dela. — Muito bem. Vou foder contigo uma vez, uma noitada amorosa, depois, vai cada um para o seu lado. Já passou algum tempo e tenho certeza de que você é... provavelmente... um amante interessante.

Embora eu achasse o acordo dela apelativo, balancei a minha cabeça, pois ela ainda não tinha compreendido. — Não há um *ir cada um para o seu lado*. Nós acasalamos para a vida toda. E, voltando ao assunto da febre do acasalamento, não é só uma vez. Nós temos que foder uma e outra vez...— inclinei-me mais perto dela, acariciando-lhe a bochecha com o meu nariz, respirando o seu doce aroma — até a febre acalmar, até passar.

Ela levantou ambas as mãos sobre o meu peito e eu agarrei os seus pulsos, colocando-os para o alto enquanto eu continuava a minha exploração pelo seu pescoço, enterrei meu nariz por detrás do seu ouvido para cheirar o seu cabelo. A respiração dela ficou ofegante enquanto sussurrava no meu ouvido: — E se eu não te foder uma e outra vez até a tua febre acalmar?

— Eu morro.

— Você quer que eu seja tua parceira para não morrer? — ela perguntou. Eu levantei a minha cabeça e olhei-a nos olhos, os nossos lábios estavam separados. O meu respeito por ela cresceu quando ela fitou-me, sem se afastar. Era uma boa indicação de que a aversão que ela sentia por mim tinha diminuído. Quando ela lambeu os seus lábios, eu soube que ela era minha.

— Se me rejeitar, Sarah, eu deixarei esta nave com a minha honra intacta. Se me rejeitar, eu morrerei. — Dobrei o meu joelho e levantei o corpo dela do chão enquanto ela cavalgava na minha perna, o clítoris e a boceta dela se esfregavam na minha coxa através dos nossos uniformes. — Mas a morte não significa nada para mim. Há dez anos que luto contra a Colmeia, mulher. Eu não tenho medo de morrer.

Ela negou levemente a sua cabeça, como se tentasse dissipar o seu olhar repleto de luxúria. — Eu não entendo por que está aqui. Não pode ir encontrar uma mulher que realmente queira um parceiro em Atlan? — Com os seus braços sobre a sua cabeça e o seu núcleo pressionado contra a minha coxa, ela estava aberta diante de mim como se fosse uma oferenda, mas eu não a tomaria, ainda não.

— *Você* é a minha parceira. É a *ti* que eu *quero*. Eu te quero porque é *a tal* para mim. Eu sinto. A primeira vez que te vi, eu quis te colocar sobre meu ombro e te levar para longe.

— Porque uma mulher não pode lutar. — ela brigou.

— É óbvio que uma mulher *pode* lutar. Eu só acredito que não *deveriam*. Mas não é isso. Eu queria te levar embora porque queria te colocar contra a parede mais próxima e te foder. Algo deste gênero. — Acariciei o núcleo dela com a minha coxa. — E, de preferência, sem roupa e sem a tua equipe observando.

Sua boca abriu-se e os seus olhos se dilataram. A subida e a descida dos seus seios acelerou enquanto ela lutava contra o desejo do seu corpo, lutava contra o chamado entre parceiros.

— Não negue que também me deseja.

Ela gaguejou, olhou para o meu peito, para o chão. Para qualquer lado, exceto pra mim. — Eu nem sequer te conheço.

— O teu corpo me conhece. A tua alma também me conhece. A seu tempo, o teu coração e a tua mente vão acompanhar. Isso é o que há de especial nas nossas parceiras. A nossa ligação é visceral. É tão profunda, tão permanente, que desafia a lógica. Não há espaço para dúvidas, porque nós *sabemos* que fomos feitos um para o outro.

Ela negou a cabeça, os seus olhos se fecharam enquanto eu enrijecia os músculos da minha coxa, esfregando o seu núcleo com o meu calor e a minha força.

— Nega a... ligação? — Perguntei.

Ela balançou a cabeça, o cabelo dela se esfregava contra a parede. — Você sabe que eu não posso.

— Não pode o quê? — Perguntei, passando os meus lábios ao longo da curva delicada do seu queixo, pela ondulação do seu ouvido, sentindo o rápido pulsar que batia no seu pescoço. Eu conseguia sentir o cheiro dela. Suor, sem dúvida, mas havia algo de almiscarado e feminino que acalmava e excitava a fera que havia dentro de mim.

— Que eu não consigo te rejeitar. — O meu coração saltou ao ouvir as suas palavras, palavras que eu temia que nunca saíssem dos seus lábios.

— Ah, Sarah. Admitir isso foi difícil para você. Vou mantê-las em segurança, guardá-las tal como guardarei a ti. Não tema... a nossa união. Embora eu precise te foder para sobreviver, há tempo para isso. Eu vou honrar o fato de precisar de tempo, pelo menos por agora. Eu não vou te tomar até que permita, até que implore para que o meu pau te preencha.

Ela gemeu e eu pressionei a minha vantagem.

— Mas, agora, eu quero te beijar, Sarah. Eu preciso te provar.

Ela abriu os seus olhos e a raiva, a resistência, desapareceram do seu olhar. Minha fera queria uivar ao ver a submissão no seu olhar suave. A minha Sarah, ela lutou tanto para ser durona, para ser uma guerreira. Ela era forte, sim. Mas não tinha que ser, não o tempo todo. Eu agora estava aqui por ela, para compartilhar o seu fardo, para assumir os seus problemas. Para protegê-la do perigo. Ela também era minha, minha para foder, minha para domar e minha para proteger... Ela ainda só não tinha se apercebido disso.

ax

Eu esperei, as nossas respirações se misturavam, as suas coxas exuberantes comprimiam as minhas.

Ao invés de responder, ela inclinou o seu queixo e a sua boca foi de encontro à minha.

Naquele momento, naquele instante, o animal saiu. Ele dominou o beijo, uma mão envolvia o cabelo dela, agarrando a cabeça dela e inclinando-a da forma correta para beijá-la profundamente e com força. A minha língua preencheu sua boca, envolvendo-a, provando-a, lambendo-a. O sabor dela só aumentava o meu desejo e eu pressionei a minha coxa ainda mais na dela, esperando que ela a utilizasse, para montar na minha perna e obter prazer. Ela não me negou isto, visto que ela se contorceu e se afastou com os dedos dos pés para se mover contra mim enquanto eu a beijava uma e outra vez.

O seu lábio inferior parecia ser feito de pelúcia e era tão decadente quanto eu imaginava. O corpo dela era suave, mesmo sob a armadura que estava no seu corpo, e encaixava perfeitamente no meu. O meu animal estava furioso porque queria mais, não queria parar apenas num beijo selvagem. Mesmo o meu corpo ansiando por mais, esta não era a hora e nem o lugar e eu contive o animal que havia em mim. Levantando a minha cabeça, eu absorvi os olhos fechados, as bochechas ruborizadas e os lábios inchados e vermelhos de Sarah. Um rosnar roncou no meu peito e os seus olhos se abriram, inebriados com desejo.

— Eu te quero. Quero enterrar o meu pau dentro da tua boceta molhada e te foder até não conseguir mais andar. Quero ouvir o meu nome sair dos teus lábios enquanto recebe a minha semente. — Puxei o seu lábio inferior com os meus dentes, que estavam ligeiramente mais afiados por causa da fera, depois, acariciei a ligeira picada com a minha língua. — Eu quero te provar, Sarah, por toda parte, te agarrar e lamber a tua boceta até gritar de prazer.

Ela, então, riu e eu quis beijá-la de novo. — Nós nem sequer gostamos um do outro.

— Nós gostamos o suficiente um do outro. — Passei o meu polegar sobre a sua bochecha, depois, dei um passo atrás. Eu não queria fazer, mas ela era um desafio perigoso que a minha fera não queria resistir, mesmo sem a sua pistola de íons apontada para mim.

— Nós não gostamos da situação em que estamos. — acrescentei. — Você é a única fêmea que pode me impedir de morrer e eu, possivelmente, sou o único que pode te ajudar a salvar o teu irmão.

Ela mordeu o seu lábio inferior roliço e franziu a testa.

— Como? O comandante já nos proibiu de ir atrás dele.

— Na verdade, há uma solução. — respondi, ignorando o meu desejo de puxar aquele lábio dos seus dentes alinhados. Desapertei as algemas do meu cinto e levantei-as. — Algemas de acasalamento. Vê? Eu já uso as minhas. Utilizá-las mostra que estou comprometido com a minha parceira – que é você – e só você. Ninguém que as vir duvidará da minha afirmação.— Ela olhou para as faixas douradas que estavam penduradas nos meus punhos, mas a sua mão se levantou para envolver o metal que estava ao redor dos meus próprios pulsos, a sua exploração suave me fez estremecer. Eu queria que a mão dela explorasse outros lugares em mim.

— Qual é o objetivo delas?

— As algemas são uma forma de compromisso, um sinal exterior do acasalamento. Elas garantem que permanecemos perto um do outro até que a febre do acasalamento desapareça e estejamos bem e verdadeiramente unidos. As algemas de acasalamento de Atlan são reconhecidas por toda a Aliança. Ninguém nunca mais duvidará a quem você pertence. Tal como todos os que me virem saberão que eu sou teu.

— Não pode tirá-las?

Neguei com a cabeça, esperando que ela compreendesse. — Elas me marcam como sendo teu, parceira, até a febre passar. Então, quando a febre passar, elas podem ser retiradas, mas nós continuaremos a estar acasalados. Isso *nunca* mudará. Com as algemas colocadas, isso indica que fui tomado. Estou acasalado. Comprometido. Que escolhi uma fêmea. Você. — Agarrei o pequeno par de algemas que estavam penduradas no meu punho. — Estas são tuas. Torne-se minha parceira e, juntos, ainda poderemos salvar o teu irmão.

Sua boca abriu-se e eu pude praticamente ver o cérebro dela funcionar.

Ela cruzou os seus braços sobre o peito, não em desafio, mas para proteção pessoal. Ela estava triste e insegura e estava praticamente abraçando a si própria. Será que ela alguma vez tinha tido alguém para segurá-la? Alguém para protegê-la? Para servir de escudo contra os males desta vida? Será que ela era tão forte porque queria sê-lo ou porque os homens da sua vida a tinham deixado vulnerável e exposta?

— O comandante não nos vai deixar ir.

— Isso só é verdade se ambos permanecermos como oficiais da frota da Aliança. Também é verdade, parceira, que uma missão para resgatar um soldado não é algo sábio. Mas se colocar as minhas algemas, isso indicará que você é uma noiva e que eu sou um Atlan acasalado. Ambos estaremos livres de todo o serviço militar.

— Só por colocarmos as algemas?

— Se as colocar, está se comprometendo a acalmar a minha febre. A acabar com ela. Mas lembre-se, é a *febre do acasalamento* e, assim, se compromete a ser a minha parceira.

— As algemas acabariam com o meu contrato militar?

Eu assenti. — Nós já não pertenceremos à frota, Sarah, mas sim, um ao outro. Já não seríamos obrigados a seguir as regras e as ordens dos comandantes da Aliança.

Ela olhou para as algemas, mas recusou-se a tocar nelas. Mas ela ouvia, e isso era tudo o que eu precisava neste momento.

— Eu jurei te ajudar a recuperar o teu irmão. Pela minha honra, eu vou te ajudar quer escolha aceitar as minhas algemas ou não. No entanto, se não se declarar como minha noiva e escolher vir comigo, estará quebrando uma ordem direta do Comandante Karter. Se formos bem-sucedidos, você poderá recuperar o teu irmão, mas poderia muito bem acabar por servir vários anos de sentença numa cela da Aliança.

— Por que está fazendo isso? — O olhar dela fitou o meu, exigindo a verdade. — Por que oferece tudo isso? Por que arriscar a tua vida pelo meu irmão? Nem sequer nos conhece.

— Nada mais me importa além de ti. — Falei aquelas palavras com veemência, chocado por descobrir que eu falava a verdade. O meu desejo de continuar a lutar contra a Colmeia tinha morrido no momento em que a vi. Nada mais me importava além de conquistá-la, torná-la minha. Eu nunca teria imaginado tal mudança de sentimentos num espaço de tempo tão curto. Só se tinham passado algumas horas desde que eu disse que não queria uma parceira. Agora, eu não queria me ver livre dela. Não abaixei as algemas, mas mantive-as de modo que ela as pudesse ver.

— Eu... eu não sou como as mulheres do teu planeta, sabe? Como pode me querer?

— Não.— afirmei. — As mulheres de Atlan são delicadas, Sarah. Elas nutrem e curam, elas não lutam. Elas não têm o teu fogo.

— E é isso que quer? Um capacho?

Franzi a testa. — Eu não sei o que é um capacho.

— Uma mulher que nunca discute, que faz tudo aquilo que você manda. Uma fêmea mansa.

As mulheres de Atlan *eram* mansas. Não eram mansas por obrigação, mas porque assim eram criadas. Elas eram felizes nos seus papéis, e confiavam que os seus parceiros cuidariam delas. Mas Sarah? Ela definitivamente não era uma Atlan e eu duvidava que algum dia se tornaria numa pessoa mansa.

Eu sorri. — Você? Mansa? Te conheço há duas horas e sei, com toda certeza, que é tudo, menos isso.

Ela, então, cerrou os lábios e eu vi cores manchando-lhe as bochechas.

— Eu nunca disse que queria uma mulher mansa de Atlan.

Ela não disse nada, mas olhou para mim e o seu ar era de dúvida bastante evidente.

— Eu não minto, Sarah. Se não confia em mim, pode confiar no protocolo de emparelhamento. *Isso* não pode mentir. Se eu quisesse verdadeiramente uma mulher de Atlan, eu teria sido emparelhado com uma. É a *ti* que eu *quero*. Eu quero que o teu fogo me queime de dentro para fora.

O beijo não tinha sido o suficiente. Só tinha me dado uma amostra de como seria entre nós. Quente, volátil e apaixonado. Eu queria sentir esta mulher sob mim. Queria sentir a raiva, a frustração, a intensidade que ela carregava dentro de si a ser transformada em paixão. Ter essa paixão direcionada a mim. Não havia dúvidas de que ela era uma mulher ardente e de que seria uma parceira de cama ávida e agressiva. Eu usaria essa ferocidade para lhe dar prazer. Eu não a tomaria com delicadeza. Seria duro e selvagem e eu teria que lutar contra ela a cada momento pelo controle, mas essa luta tornaria a submissão dela muito mais doce de se provar. Ela lutaria contra ela própria, tentando resistir ao que ela precisava. Isso era uma certeza. Não porque eu a subjugaria, mas porque testaria os seus limites, me divertiria ao fazê-la contorcer-se e ao descobrir os seus desejos mais profundos.

Eu empurrei-a, inclinando-me para frente e tomando mais uma vez a sua boca, certificando-me de que ela sabia o quanto eu a queria. Soltei-a e deslizei as minhas mãos pelas costas dela, puxando o seu corpo para frente e mais alto na minha coxa até que estivéssemos pressionados um contra o outro e o seu estômago esfregou-se contra o meu pau, que estava duro como uma rocha. As mãos dela pousaram nos meus bíceps, mas ela beijou-me de volta ao invés de me afastar dela.

Ouviu-se uma batida na porta e eu me afastei, relutante em perder o contato íntimo com a minha parceira. Puxei-a para junto de mim, e o seu corpo, que era muito menor que o meu, parecia seguro nos meus braços. Tentei ser delicado apesar de a fera estar irritada comigo porque queria atirá-la ao chão, rasgar a sua armadura e tomar aquilo que lhe pertencia. — Diga que sim, Sarah. Seja minha.

— Promete que me ajudará a encontrar o meu irmão se eu disser que sim? — Ela passou um dedo por uma das algemas e elas balançaram sob as minhas mãos.

— Eu não minto. Eu *nunca* mentiria à minha parceira. Como não sabe disso e nem me conhece, eu te prometo isso. — Coloquei a minha mão direita sobre o meu coração, as algemas balançavam entre nós. — Prometo que vou te ajudar quer aceite a minha reivindicação, quer não.

Ela olhou para mim à procura de qualquer sinal de que lhe mentia. Não havia sinal algum, porque eu iria ajudá-la, não importando o que ela escolhesse. Se ela me rejeitasse, eu simplesmente iria atrás do seu irmão sozinho e a livraria de passar o resto dos seus dias numa cela de prisão da Aliança. Pouco tempo depois, eu morreria. A fera estava perto o suficiente para provar. Sem uma parceira, ela estaria destinada à execução, mas eu não a obrigaria a tomar aquela decisão. Se eu morresse, eu procuraria descanso eterno nos meus próprios termos, com a minha honra intacta.

Se ela dissesse que sim e colocasse as minhas algemas nos seus pulsos, eu não tinha outra chance senão ir com ela encontrar o seu irmão, porque eu tinha não só dado a minha palavra que o faria, como também, uma vez que ela tivesse as algemas no seu pulso, nós não poderíamos ficar distantes um do outro, não até estarmos verdadeiramente unidos.

Pior, se eu traísse a confiança dela, ela nunca permitiria que eu a fodesse, quanto mais me unir a ela. E sem isso, eu morreria.

Portanto, ela tinha todo o poder nas suas mãos. Ambos estávamos num dilema. Ambos precisávamos um do outro. Cada um de nós tinha um preço que estava disposto a pagar. Eu colocaria a minha parceira em risco para que ela pudesse encontrar o seu irmão. Ela estava disposta a tornar-se minha parceira. Permanentemente. Com base neste beijo, via que não seria uma enorme dificuldade.

— Muito bem. Eu aceito.

Então, eu rosnei, baixo e profundamente. Ouvir aquelas palavras dos seus lábios acalmou a fera de uma forma tal que nem o beijo tinha conseguido. Estava inquieta e fazia força para sair, mas ouvi-la concordar em tornar-se a minha parceira acabou por acalmá-la. A mim. Tudo em mim.

Fui até a porta e abri-a para o comandante. Eu sabia que ele não teria ido muito longe. Eu não só era o maldito ex-guerreiro que tinha sido transportado para uma batalha e despedaçado a Colmeia, mas também era o Atlan que desejava acasalar um dos seus melhores oficiais.

Ele entrou e olhou entre nós dois.

— Não pode aceitar o plano do Warlord. — disse ele. Ele era um homem astuto, sabia exatamente o que eu lhe tinha oferecido e o que isso lhe custaria.

— Eu já aceitei.

— Capitã, eu tenho que questionar a sua sabedoria quanto à tomada desta decisão.— respondeu o comandante.

— Seja lógica. Ponha essa sua mente analítica para trabalhar, Sarah. O seu irmão já partiu. Não faça este sacrifício quando não há esperança de resgatar Seth com vida.

— Seth ainda está vivo. Eu consigo senti-lo. Eu prometi ao meu pai. Não o posso perder também. Ele é tudo o que me resta. Lamento, Comandante Karter, mas eu tenho de o encontrar. — A última frase era como um mantra que lhe saía dos lábios. Ela puxou as braçadeiras dos seus braços e deixou-as cair aos seus pés. Agarrando as algemas, puxou as mangas para cima para expôr os seus antebraços. Abrindo uma e depois a outra, colocou as algemas nos pulsos. Elas se selaram automaticamente e cingiram-se com segurança ao redor da sua pele delicada.

Lançando um olhar para mim, ela inclinou o seu queixo e, depois, virou-se para o comandante. — E agora?

O comandante suspirou. — Capitã Mills, você colocou as algemas de acasalamento de um macho Atlan, portanto, com efeito imediato, você será transferida para o Programa Interestelar de Noivas. Você foi retirada da sua posição de comando. Já não é um membro da frota da Aliança. Deve entregar imediatamente a sua arma de íons.

Ela puxou a arma da sua cintura com precisão e entregou-a ao Prillon. Ela não parecia duvidar da sua decisão. Na verdade, o caráter definitivo parecia endurecer a sua determinação.

O Comandante Karter virou-se para mim. — Bem,

parece que conseguiu aquilo que queria. — Ele passou uma mão sobre o seu cabelo soltando um suspiro alto. — Fale com a Silva, do convés civil. Ela vai atribuir-lhes uns aposentos temporários.

Sarah colocou as mãos nos quadris. — Nós não vamos ficar. Vamos nos transportar imediatamente.

O comandante negou com a cabeça. — Temo que isso seja impossível.

— O quê? Eu prometo, assim que nos transportarmos para onde a Colmeia levou Seth, sairemos do seu caminho.

— Não há mais transportes até as treze horas de amanhã, no mínimo. — Quando a sua boca se abriu em choque, ele acrescentou: — O campo de detritos magnéticos move-se sobre nós. É muito perigoso. Todo o setor está fechado. Não há transportes, não há voos.

— Não! — Não haveria nenhum transporte, nenhuma batalha, nenhum movimento durante quase dezesseis horas. Normalmente, todos no grupo de combate comemoravam estas tempestades magnéticas estranhas, que permitiam o descanso e o relaxamento forçado. O olhar de Sarah voou para o meu e eu pude lê-la facilmente. Ela estava preocupada com o seu irmão, seria o tempo extra de que a Colmeia precisava para torturar e modificar seu irmão. Mas ela também se perguntava exatamente o que eu exigiria dela nas próximas dezesseis horas enquanto esperávamos.

Se eu não a podia levar até o seu irmão, podia proporcionar uma distração digna. Talvez uma boa e dura noite de foda ajudaria a limpar a cabeça dos dois.

arah

EU AGARREI as braçadeiras que tinha atirado ao chão e dei meia-volta, deixando a sala de guerra do comandante e o meu novo *parceiro* para trás.

Portanto, eu tinha sido emparelhada com um Warlord de Atlan que beijava como se fosse um deus? Tudo bem. Assim que saí do escritório do comandante, puxei as algemas, tentando tirá-las. Eu podia ser a parceira de Dax, eu podia ter feito amor com a sua coxa dura, mas não precisava usar estas malditas coisas. Eu tinha-as colocado como parte de um espetáculo perante o Comandante Karter, não que eu fosse voltar atrás com a minha palavra. Eu não ia. Uma vez que Dax me ajudasse a recuperar o meu irmão, eu tentaria ser uma boa esposinha. Com base na forma como ele me beijou, aquela noitada amorosa seria bastante excitante. Até lá? Eu não precisava destas... eu puxei e puxei... eram sinais visíveis de que eu estava ligada ao Warlord. De que ele me possuía. De que eu lhe *pertencia*. A minha palavra era mais do que o suficiente.

Tentei abri-las. Nada. Merda. Estavam apertadas, mas, pelo menos, eu conseguia passar os meus dedos sob aquelas faixas douradas. Independentemente disso, não havia volta a dar. Onde raios estava o fecho?

Eu acenei para os dois guerreiros que me cumprimentaram ao passar por mim no corredor. Aqueles seriam provavelmente os últimos dois cumprimentos que eu receberia, pois, eu já não pertencia à frota da Aliança. Eu tinha conseguido estar aqui por dois meses ao invés de dois anos. Pelo menos não estava morta. Embora fosse possível que estar acasalada com... *ele* fosse pior.

Ele era arrojado e ousado, e aquele sorriso malicioso só indicava que ele tinha uma prepotência que me enlouqueceria. De alguma forma, ele podia simplesmente respirar que isso já me irritava. E excitava. O que é que havia nele? O que havia naquele beijo que me deixou louca? E *excitada*. Céus, ele era sexy como tudo. De alguma forma, ele conseguiu me fazer *querer* que ele me tocasse. Ele disse o que queria fazer comigo, coisas carnais, nível homem das cavernas – e eu estava grata por ele o ter feito em privado – porque eu tinha me derretido aos seus pés.

Não só isso, também o tinha beijado como se fosse uma mulher ávida pelos seus avanços. No início, tinha-o beijado de volta porque... Mas que inferno! Por que eu não haveria de provar o que ele me oferecia? Quando os lábios dele foram de encontro aos meus foi tipo mais como... *mais. Dê-me mais.* A sua coxa dura como pedra entre as minhas pernas tinha me empurrado e levantado para que ele se pressionasse perfeitamente contra mim. A minha vagina doía de vontade de ser preenchida e o meu clitóris inchado tinha se esfregado e despertado. Entre a língua dele na minha boca e a maneira como eu tinha montado sua perna, eu estava a caminho do orgasmo central. Sem vergonha. Ele até começou a rosnar à medida em que eu ia ficando molhada, como se ele pudesse sentir o meu cheiro ou algo assim.

Nenhum homem me tinha feito sentir assim. Ele tinha me encostado à parede e me deixado completamente à sua mercê. Nunca gostei de estar à mercê de *ninguém*, mas com Dax, com o seu beijo e o seu toque e as suas palavras sussurradas e as suas... Céus, a sensação dura de seu pênis contra a parte baixa da minha barriga onde a armadura do corpo não cobria... Eu queria tudo.

Mas a minha decisão quanto a me tornar sua parceira não foi tomada numa névoa sexual. Eu tinha concordado com o acordo dele porque queria encontrar Seth. Ele ia me ajudar a fazê-lo e eu não teria de apodrecer na prisão para o resto da minha vida. Com o tamanho de Dax, a sua bravura, a sua coragem, eu sabia que ele era a melhor chance que eu tinha de ter o meu irmão de volta.

Respirei fundo, depois, comecei a descer o corredor em direção ao elevador da nave. Dax ainda estava na sala do comandante, e eu não fazia a mínima ideia do porquê. Ele me seguiria, eventualmente, porque tínhamos um acordo. Ele disse que morreria sem mim, o que significava que a espécie dele era uma confusão só. Merda, eu vivi vinte e sete anos sem um marido e estava ótima.

É claro que a minha vagina praticamente precisava de um espanador devido à falta de uso, mas quem é que precisava de um homem e de todo o drama, quando tinha disponível um vibrador? Um vibrador nunca me chateou. É claro que um vibrador não tinha mãos enormes, um aspecto físico durão e musculoso ou um comportamento poderoso. E nem beijava como se não houvesse amanhã.

Ok, muito bem. Dax era melhor do que um vibrador. Até agora. Eu não tinha dúvida de que desejaria o velho, confiável e silencioso aparelho da primeira vez que eu me recusasse a agir como se fosse uma mera marionete silenciosa e fraca.

— Ai! — Gritei, quando as minhas algemas irradiaram subitamente uma dor dilacerante nos meus punhos. — Caralho! — Parei de me mexer e envolvi uma mão ao redor da algema. A dor não diminuiu, mas irradiou, subindo pelos meus braços. Era como ser eletrocutada e incapaz de tirar a mão do frio cheio de energia. Eu não me surpreenderia se o meu cabelo começasse a fritar. O que raios é que o Warlord tinha feito comigo?

Acabou-se a lua de mel, dei meia-volta e corri pelo corredor. Pouco antes de entrar no alcance do sensor da porta do comandante, a dor parou, mas o formigamento afiado permaneceu. Sacudi as minhas mãos, fazendo com que o sangue circulasse. Talvez fosse um fio que estivesse solto na algema, uma ligação defeituosa ou assim? Eu respirei fundo, e a dor começou a desaparecer totalmente. Mais uma vez, voltei e comecei a descer pelo corredor. Consegui chegar até onde estava da última vez e a dor voltou. Desta vez, eu sabia o que esperar e assobiei de raiva, não de dor.

Aquele idiota. O que raios estava fazendo? Será que isto funcionava por controle remoto? Será que ele estava agora me observando e rindo de mim?

Voltei a marchar pelo corredor, desta vez, sem parar quando a porta se abriu para mim. Os dois homens estavam mesmo ali, onde os deixei. O comandante olhou para mim e o Warlord esboçou um sorriso no seu rosto.

— Voltou. — rosnou Dax.

Levantei as minhas mãos. — Sim, parece que as algemas que me deu estão defeituosas.

— Mesmo?

— Como se não soubesse.— resmunguei.

O comandante riu e bateu-me nas costas ao sair da sala.

— Ainda bem que esta pequena briga de amantes não é mais da minha responsabilidade. — disse ele, irritando-me ainda mais do que Dax.

Mordi os meus lábios e saí da sala de rompante, mas desta vez, assegurei-me de que o Dax estava mesmo atrás de mim.

Estávamos sozinhos naquele corredor. Só se ouviam os zumbidos suaves dos sistemas da nave quanto eu me virei para ele, pronta para lutar.

Dax levantou as suas mãos e falou antes que eu pudesse gritar com ele. — Eu não fiz nada com as tuas algemas. — disse ele. — Elas estão funcionando corretamente.

— Elas parecem uma terapia de eletrochoque! Isso não é funcionar corretamente.— Puxei-as outra vez.

— Parceiros Atlan que não estejam unidos e que usam as algemas devem permanecer a cem passos um do outro, caso contrário, as suas algemas geram uma... dor que obriga-os a se reaproximar.

— Reaproximar? — Gritei, eu sabia que estava exagerando, mas ser colocada numa coleira como se fosse um cão me irritava.

— Você sempre fala aos berros? — ele respondeu.

— Você sempre machuca as tuas parceiras?

A sua expressão, todo o seu comportamento mudou ao

ouvir a minha pergunta e ele se aproximou de mim até as minhas costas ficarem novamente contra a parede. Eu não conseguia controlar o meu maldito corpo, portanto, olhei para os lábios dele, perguntando-me se ele me beijaria novamente. — Sarah Mills da Terra, você é a minha *única* parceira. A última coisa que eu desejo fazer é te provocar dor seja de que forma for. É o meu dever te proteger e o meu privilégio te dar somente prazer.

Corei devido à sensação persistente de sua boca na minha, a forma como a coxa dura dele fazia o meu clítoris formigar e inchar, mas encolhi os ombros.

— E, no entanto, estas... coisas — balancei os meus braços no ar — doem.

— Acha que também não me doeu?

Olhei para baixo, para os seus pulsos, para as algemas douradas que ali estavam. — As tuas também provocam dor?

Ele acenou, uma mecha ondulada e escura do seu cabelo caiu sobre a sua testa. — Nós estamos emparelhados e aquilo que te machuca, machuca a mim também. E o que te dá prazer, também me dá prazer. Você não pode estar a mais de cem passos de distância de mim sem que isso provoque dor, mas essa restrição foi colocada sobre nós dois. Eu também não posso me distanciar de ti sem que a febre desapareça.

Isso significava foder. Muita, muita foda selvagem e louca.

Eu olhei para ele. — Você agora parece estar bem.

— A febre vem ao acaso. Assim como aconteceu durante a batalha, eu te garanto, você saberá quando estiver novamente sobre mim.

— Se estas algemas doem tanto, por que não veio atrás de mim?

— Porque embora você tenha sido a líder do teu esquadrão, eu sou o líder do nosso acasalamento e da nossa missão de recuperar o teu irmão.

Eu me libertei dele e comecei a andar pelo corredor. — É por *isto* que eu não queria um parceiro. É por *isto* que eu não queria concordar quanto a me acasalar. Os homens e as suas regras. Vocês são todos completamente irracionais.

— Você só está no espaço há dois meses. Eu liderei tropas da Aliança por mais de uma década. Conheço mais a Colmeia do que você. Sei *mais* sobre o que é necessário para trazer o teu irmão de volta. E, eu sou um Atlan e você, não.

Eu não me virei para olhar para ele. Eu estava chateada, louca e, definitivamente, ia perder a cabeça. Eu não conseguia ficar a mais de cem passos deste homem sem sentir uma dor horrível. Por que ele não disse isso *antes* de eu concordar em colocar as algemas?

— Assim que encontrarmos o teu irmão, assentaremos em Atlan. Eu vou te mostrar o meu mundo. Há muitas experiências que ainda tem de viver. Eu preferia que ambos sobrevivêssemos para viver essas experiências.

— Portanto, quer que eu siga a tua liderança visto que eu sou... nova nessa vida no espaço.

— Isso é parte do motivo, mas eu sou um macho Atlan e estou no comando. Se isso não for o suficiente para aplacar o teu orgulho, tornar a tua rendição aceitável, eu também sou um oficial superior a ti.

— Não mais. Eu agora sou uma civil, lembra? — Eu mordi os meus lábios. Render-me? Céus, eu estava em apuros aqui porque não me rendia a *ninguém*.

— O macho está no comando, Sarah. É o nosso costume e estilo de vida de Atlan.

— Sim, você me disse como as mulheres de Atlan são.

— Sim, mas você *quer* que eu esteja no controle. Quer que o teu parceiro lidere. — Ele levantou a sua mão até minha bochecha e inclinou o meu rosto para que eu olhasse para cima, bem para cima, para os seus olhos. — Você não precisa lutar, Sarah. Já não precisa. Eu agora estou aqui. Vou cuidar de ti, tal como verdadeiramente deseja.

Os meus olhos se arregalaram, incrédulos. — Eu não *preciso* que um homem cuide de mim e, definitivamente, não *quero* um! — rebati.

— Você quer ou não teria sido emparelhada.

— Pareço uma mulher que quer ser liderada o tempo todo?

Ele inclinou a sua cabeça para me estudar. — Não, mas gostou quando eu te beijei. Ali, não estava no controle.

Eu estremeci porque não conseguia negar a minha reação àquele beijo, pelo menos, não de forma honesta. Ele estava certo. Eu gostei quando ele me prendeu junto à parede e tomou aquilo que queria. Que mulher não queria ser pressionada contra a parede e fodida? Que mulher não queria um macho dominador no quarto? Qual era a graça de ter de arrastar um cara pelas bolas o tempo todo? Não tinha graça nenhuma. Mas isso não significava que eu queria que ele mandasse em mim. Eu tinha tido mandões o suficiente durante a minha vida. O Comandante era só o último numa longa fila de comandantes e ele era um chatão.

Eu não queria estar legalmente unida a um deles!

Quanto a beijar, eu tinha que admitir que queria que ele o fizesse novamente, e que não parasse até que ambos estivéssemos nus e cansados. Não porque ele queria assumir a liderança – de tudo – mas porque eu era simplesmente humana e tinha partes femininas que ansiavam por um pênis de verdade.

— Então, o que acontece agora? — Dei uma palmadinha na parede ao meu lado, incapaz de resistir ao ataque da fera. — Nós fazemos aqui mesmo para eu poder curar essa tua febre do acasalamento?

Os olhos dele se estreitaram e a sua mandíbula cerrou-se. — Embora a ideia de te foder contra essa parede seja tentadora, eu não vou te tomar contra a tua vontade ou num local público.

— Por que não? — Eu fiquei aliviada por ouvir as suas palavras, mas não consegui conter-me enquanto me apoiava e levantava as minhas mãos sobre a minha cabeça. Pressionei as minhas costas contra a parede e olhei para ele com um desafio gritante nos meus olhos. A necessidade de testar o seu controle invadiu-me como se fosse um demônio. Eu tinha que saber até que ponto podia provocá-lo, com que tipo de homem eu estava lidando.

Ele caminhou em minha direção até que a menor lasca de ar nos separasse. O cheiro dele invadiu a minha cabeça e eu queria me afogar nele, ele cheirava muito bem, cheirava a chocolate preto e cedro, duas das minhas coisas favoritas. Eu lambi os meus lábios enquanto olhava para ele fixamente, desafiando-o a fazer algo louco, desafiando-o a quebrar a minha confiança.

A voz dele era um sussurro: — Porque você é minha e ninguém vai ver o teu corpo nu além de mim. Ninguém vai ouvir os teus gritos de prazer quando eu te tomar. A tua pele é minha. A tua respiração é minha. A tua boceta quente e molhada é minha. As tuas súplicas de prazer, que eu vou te obrigar a dar, são minhas. Eu não vou compartilhar.

Eu não conseguia respirar, estava me afogando nele e na promessa erótica das suas palavras.

— Mas fique sabendo disso, parceira, se continuar a me desafiar, a me tentar para que eu te desonre, eu vou puxar essa armadura desse teu corpo suave e vou te colocar sobre o meu joelho. E também não deve mentir para mim. Eu quero respeito, Sarah Mills, ou o teu traseiro vai ficar num tom de vermelho quente e vivo antes de eu te preencher com o meu pau.

O quê? Eu tentei processar isso enquanto ele inclinava a sua cabeça e me estudava. A minha pulsação parecia a batida de um tambor no meu ouvido enquanto eu lutava para me recuperar das suas declarações sombrias, de todas elas, visto que subitamente a ideia da sua mão firme no meu traseiro me fez contorcer, e não era de raiva. Maldito seja, ele notou.

— Te excita levar palmadas?

— O quê? Não! — Respondi, as suas palavras pareciam um balde de água fria sobre a minha cabeça. — Não ouse sequer pensar nisso, Dax de Atlan.

Ele, então, sorriu e pareceu ainda mais lindo do que nunca, e a minha respiração ficou presa na minha garganta. — Você me quer, mulher. Quer que o meu pau duro te preencha. Quer que eu te toque em todo lugar, que te tome, que te marque como minha. Admita.

— Não. Eu não quero um parceiro, Dax. Eu quero salvar Seth. — Balancei a minha cabeça, mas o meu coração batia tão alto que eu tinha certeza de que ele conseguia ouvi-lo, mesmo através da minha armadura. Eu não queria que as palavras dele fossem verdade, mas elas eram. Merda, eu queria mesmo. Eu queria tudo aquilo. Mas não até ter o meu irmão totalmente seguro.

— Eu vou te ajudar a recuperar o teu irmão. Eu te dei a minha palavra. — Ele inclinou-se para frente, sem me dar nenhum ar. — Você também quer que eu cuide de ti, que eu te mantenha segura.

— Não, não quero. Eu consigo cuidar de mim.

— Não mais.

— Deixa de palhaçada, Dax. — Encostei no peito dele.

— Temos que ir. Temos uma missão de resgate para planejar.

— Você é, sem dúvida, a fêmea mais difícil que eu já conheci.

Empurrei o meu dedo contra o peito dele. — Você é o mais teimoso, chauvinista, arrogante...— Os arabescos cinza escuro que adornavam as algemas douradas e brilhantes me provocaram enquanto eu o cutucava. Era um sinal de propriedade, como uma coleira num cão. Colocando as minhas mãos no meu pulso, puxei a algema estúpida. — Tira estas coisas de mim. Eu mudei de ideia.

Ouvi um rugido sair do peito dele. Ele agarrou o meu pulso e puxou-me pelo corredor. Ele estava à procura de algo. Quando apertou um botão de entrada, uma porta aleatória se abriu e ele me empurrou para dentro. O sensor de movimento da sala acendeu a luz e eu pude ver que ele me empurrou para uma sala estreita cheia de painéis elétricos. Eu não fazia a mínima ideia do que eles faziam, mas uma única parede estava coberta de cabos e de luzes piscando. O chão e as outras paredes eram azuis, indicando que esta sala era mantida pelo pessoal da engenharia.

— Mas que droga, Dax! — Disse eu, seguido por uma longa série de palavrões.

— Coloca as tuas mãos na parede. — Ele olhou sobre o

seu ombro e apertou o botão ao lado da porta fechada, ativando a fechadura.

Abri totalmente a boca. Embora a sugestão fosse bastante excitante – pelo menos em conexão com os pensamentos perversos que as suas ordens trouxeram – agora, eu estava irritada.

— Eu não sei o que você pensa que vai fazer, mas eu não vou te foder num armário.

— Quem falou alguma coisa sobre foder? — ele respondeu calmamente.

— Então, o que vai fazer?

— Vou te dar umas boas palmadas, como é óbvio.

Pressionei as minhas costas contra a parede oposta aos painéis eletrônicos, as minhas mãos estavam sobre o metal frio. — O quê? — Ele estava mesmo fora de si.

— Você precisa. — Dax deu um passo à frente. Caramba, ele era tão grande e esta sala era tão pequena.

— Eu preciso do quê? De palmadas? — Ri naquele momento. — Sim, é claro.

— Mentiu para mim, várias vezes. Eu te avisei, parceira. Você agora é minha, e eu vou fazer aquilo que tiver de fazer para me certificar de que sabe disso.

— Você é louco. Será que todos os machos Atlan são assim tão difíceis ou é só você?

— Ainda está mentindo, e para si mesma. A seu tempo, parceira, virá até mim e me dirá quando estiver com medo, quando precisar do meu toque para te acalmar, para aliviar o teu pânico. Até lá, é o meu dever saber quando você precisa de uma mão firme.

— No meu traseiro? Acho que não.

— Você não vai admitir que está assustada, que tudo o que aconteceu hoje é avassalador. É forte. Eu sei disso. Mas eu sou mais forte. Pode confiar que eu cuido de ti, Sarah. Está extravasando ao invés de admitir a verdade. Me desafia para que eu te discipline pela tua falta de respeito, pelos teus insultos ao meu caráter e à minha honra. Eu só posso presumir que você precise que eu assuma o controle, mas não sabe como me pedir isso. E, por isso, não vou esperar que admita, Sarah, vou simplesmente te dar aquilo que precisa.

A promessa dele me fez encolher o estômago. Ele era tão grande, gigante até. Ele era um alienígena, um Warlord de Atlan que estava no comando de centenas de soldados, milhares. E por mais que eu tentasse manter uma fachada de valente, eu estava aterrorizada. O meu irmão muito provavelmente estava morto, como o comandante tinha dito, ou a caminho de se tornar um dos da Colmeia. Eu não podia falhar com ele. Agora, eu estava acasalada com Dax e não era uma mulher Atlan *normal* e mansa. Certamente, também falharia com ele. Assim que ele percebesse que eu não era o que ele queria, arrancaria as algemas dos seus pulsos e me mandaria fazer as malas. Eu iria para casa sozinha e derrotada. Perdida. Sem ninguém da minha família.

Senti a primeira lágrima descer num rasto ardente na minha bochecha e balancei a cabeça em negação, afastando-me de Dax para que ele não testemunhasse a minha fraqueza, para que ele não soubesse que estava certo. Eu *realmente* precisava que ele assumisse o controle. A pressão me esmagava, me sufocava, e só de pensar em soltar o controle, em passar... tudo para outra pessoa era como uma droga sedutora no meu sistema. A minha mente gritava que era errado, mas o meu coração batia de medo e de saudade, a guerra interior ameaçava me partir em duas.

— Coloca as tuas mãos na parede, Sarah.

Eu só balancei a minha cabeça. Embora eu o desejasse, isso não significava que iria permitir que ele o soubesse. Eu tinha que me manter forte. Eu conseguia ouvir a voz do meu pai na minha cabeça, exigindo que eu nunca chorasse, nunca mostrasse medo ou dor. *Tem de ser dura, Sarah, o mundo não irá tolerar as tuas fraquezas.*

Dax deu um passo na minha direção, colocou facilmente uma mão na minha cintura e girou o meu corpo. Eu não tinha outra alternativa senão colocar minhas mãos na parede, com medo de cair. Ele puxou meus quadris e colocou-os de maneira que eu estivesse inclinada. Comecei a me levantar, mas uma mão enorme desceu sobre o meu traseiro sobre a calça.

— Dax! — Gritei, atordoada com a ardência surpreendente da palma da sua mão.

— Deixa as tuas mãos onde estão. Traseiro para fora.

— Eu não vou deixar que...

Plaft!

— Não está me deixando fazer nada. Estou te dando as palmadas que precisa e não tem outra escolha.

As suas mãos desceram até a frente das minhas calças e abriram-nas, depois, tirou tudo, com minha calcinha, deixando tudo em volta das minhas coxas. Senti o ar frio no meu traseiro nu e para fora para que ele o pudesse ver.

— Dax! — Gritei novamente, sentindo-me mais vulnerável do que nunca.

Ele não me deixou assim por muito tempo, mas começou a me bater, batendo de um lado do meu traseiro, depois do outro, nunca batendo duas vezes no mesmo lugar. Não foi muito duro, pois, eu só podia imaginar a força que teria se ele quisesse mesmo. Mas isso não significava que não doía, que a minha pele não estava ficando quente, ardendo.

— Eu estou aqui para você. Não vou te deixar. Vou encontrar o teu irmão. Vou cuidar de ti. Eu sei o que você precisa. Você não vai mentir para mim. Não vai falar comigo num tom desrespeitoso. Não vai mais negar as necessidades do teu corpo ou o nosso emparelhamento. — Ele bateu repetidamente enquanto as lágrimas escorriam pelo meu rosto num rio de angústia que eu sentia que tinha se acumulado ao longo dos anos, cada golpe da sua mão era como uma granada emocional enquanto o meu controle se partia.

Eu apertei os meus dedos na parede, mas não consegui fazer nada. — Dax! — Gritei novamente, mas agora, a minha voz estava cheia de emoções cruas, sem raiva.

— Ninguém vai entrar nesta sala. Ninguém pode nos ver. Ninguém vai pensar que você é fraca. Para de tentar negar aquilo de que precisa. Para de se esconder de mim. Se solta.

Então, neguei com a minha cabeça. — Não.

A mão dele parou por um instante e acariciou a minha pele quente. — Ah, Sarah Mills, diga estas palavras: *Eu nem sempre tenho de ser forte.*

Depois de um minuto, com a mão dele acariciando pacientemente a minha pele aquecida, eu finalmente sussurrei: — Eu nem sempre tenho de ser forte.

— Boa menina. — Ele me bateu novamente e eu estremeci. — *Eu vou ser sincera com o meu parceiro e comigo mesma.*

Eu repeti as suas palavras.

— *Posso confiar que o meu parceiro vai cuidar de mim.*

Eu também disse aquelas palavras e as palmadas, na minha mente, transformaram-se em outra coisa. Ele não me batia porque me castigava, ele o fazia porque tinha percebido algo em mim que eu nem sequer sabia que existia. Eu não fazia a mínima ideia de como ou por que eu precisava de palmadas, mas só de saber que eu estava inclinada e que Dax não me dava outra alternativa, a não ser me obrigar a esquecer de tudo, era libertador. As palmadas ardentes tinham a maravilhosa capacidade de desligar a minha mente e eu podia confiar que ele cuidava de mim. Nenhum mal viria sobre mim enquanto ele fazia isso. Ninguém iria ver que o meu traseiro estava nu e, provavelmente, ficando vermelho vivo. Ninguém iria ver as lágrimas nas minhas bochechas. Ninguém iria ver, ninguém além de Dax.

Ele não estava rindo de mim. Não pensava que eu era fraca. Ele me dava um momento em que nada podia me magoar e eu podia simplesmente esquecer tudo. Ele me ajudava a liberar o stress e as emoções que eu nem sabia que me sufocavam. O arrependimento. O medo. A raiva. A culpa. Estava tudo ali dentro, rodopiando como uma tempestade no meu peito, jorrando de mim nas lágrimas que escorriam pelas minhas bochechas até ficar vazia, mas calma, como o mar depois de uma tempestade.

— *Eu pertenço a Dax e ele me pertence.* — Dax acrescentou.

Eu repeti as palavras, muito cansada para lutar contra ele ou contra o desejo do meu próprio corpo. Mas as suas próximas palavras mudaram o humor na sala e transformou-se de calmo para excitante num piscar de olhos.

— *Dax é meu. O seu pau é meu.*

Eu quase gemi devido ao tom sombrio das suas palavras, os meus pensamentos se desviavam para imagens dele fodendo-me por trás, aqui mesmo, agora, nesta salinha estúpida. Repeti suas palavras e as palmadas pararam. Pensei que ele tinha terminado, mas a mão dele envolveu o meu corpo quente, depois, escorregou entre as minhas pernas, sobre as minhas dobras para explorar o calor que eu sabia que ele iria encontrar. Ele rosnou quando seus dedos encontraram a recepção molhada.

— *Minha boceta pertence a Dax.*

Arfei enquanto ele deslizava dois dedos dentro de mim; repeti as suas palavras. Ele inclinou-se sobre as minhas costas para que a sua forma maciça me pressionasse.

— Está toda encharcada, parceira. Eu podia te foder agora mesmo. Aqui mesmo.

Os dedos dele deslizaram para dentro e para fora do meu núcleo vazio e eu arqueei as costas. Todas as suas palavras carnais me prepararam para ele. Aquele beijo, as mãos dele em mim, até as palmadas, deixaram-me ansiosa por ele. Eu sabia que ele cuidaria de mim, que, neste momento, eu não tinha nada em que pensar além dos seus dedos no fundo de mim.

— Você foi uma boa menina e lidou muito bem com as palmadas. Agora, tem que gozar.

Eu gemia ao redor de um soluço enquanto ele me fodia com os dedos, usando dois para me esticar e um para esfregar meu clitóris. Enquanto as minhas lágrimas secavam, a minha mente ficava vazia pela primeira vez em vários meses, o meu corpo tomava conta, precisando ser libertado. Precisando que Dax me fodesse. Gritei quando o primeiro orgasmo passou por mim e através de mim, o empurrão de Dax foi tão forte e profundo que os meus pés quase deixaram o chão. Era impossível ficar quieta enquanto as paredes da minha vagina tinham espasmos ao redor dos seus dedos, ávida por mais. Os meus dedos suados escorregaram pela parede e Dax envolveu o seu braço livre ao redor da minha cintura, levantando-me até eu ficar suspensa no ar, minhas costas estavam contra o seu peito, os seus dedos bem fundo dentro de mim.

Ele ainda não tinha terminado comigo e, em poucos segundos, ele me empurrou à beira do precipício novamente. Comprimi os dedos dele enquanto gozava. Mesmo depois de as ondas recuarem, ele os manteve parados, bem no fundo. O prazer, a dor ardente, tudo se acendeu e eu chorei de novo, lágrimas que não deixei cair durante anos derramaram pelo meu corpo como se fossem ácido. Deixei tudo sair: a dor pela morte dos meus irmãos, depois, do meu pai, o medo de perder Seth, o stress do comando, a culpa pelos homens que eu tinha perdido em combate. Senti como se uma vida inteira de dor acumulada explodisse de dentro de mim.

Ele deslizou os seus dedos de dentro de mim e puxou-me para os seus braços, abraçando-me com força. Eu não conseguia lembrar de quando tinha sido a última vez em que fui abraçada, a última vez que fui verdadeiramente segurada. É claro, eu tinha feito sexo antes, mas tinha sido bastante sem emoção, mais uma liberação excitante do que uma ligação íntima e verdadeira. O meu pai tinha me mantido à distância, pois, ele não tinha sido uma pessoa de muitos abraços. Com três irmãos mais velhos e sem uma mãe ao meu redor, não houve emoções ou ternura na nossa casa. Era mais como uma existência tipo *O Senhor das Moscas*, onde apenas os fortes sobrevivem. Eu nunca me arrependi da minha vida ou das minhas decisões. Mas ficar ali, nos braços de Dax, deixava-me cansada, mental e emocionalmente exausta de uma forma que eu nunca me permiti sentir, de uma forma que eu nunca tinha me sentido segura.

Como é que um grande e bruto alienígena tinha visto além da minha armadura – e não era da minha roupa de guerreira que eu estava falando – e sabia do que eu mais precisava. Eu era forte, talvez forte demais, e ele tinha levado dez minutos para me partir como se eu fosse um ovo.

Mesmo através da dura armadura torácica, eu podia ouvir o seu coração bater. Eu fiquei, pela primeira vez, calma e notavelmente em paz. *Nada* iria acontecer comigo agora. Eu estava segura e a minha mente estava tranquila.

— Está melhor?— ele perguntou, assim que o meu choro se dissipou.

— Estou. — respondi. O meu corpo estava mole e flexível, o meu traseiro estava quente e dolorido. Mas eu me sentia como se alguém prestasse atenção em mim, *por* mim. Eu não sabia como, mas eu precisava daquela palmada. Analisar as minhas reações me deixaria louca, então, resignei-me a descobrir isso mais tarde.

Endureci enquanto ele me agarrava e percebia que o meu traseiro estava em evidência. Puxei minhas calças e fechei o zíper, arrumando-me. Tentei me afastar, a vergonha perseguia o brilho satisfeito da minha mente no momento em que eu tinha perdido o seu toque, mas ele me parou com uma mão no queixo, levantando o meu rosto para olhar para ele.

— Te ver ter um orgasmo é a coisa mais linda que eu já vi. — O polegar dele acariciou a minha bochecha e eu não pude evitar, inclinei-me para o seu toque enquanto ele continuava. — Você é minha. Nunca vai ficar sozinha, nunca vai dormir sozinha, nunca vai lutar sozinha. Você é minha e nunca vou te deixar.

— Dax. Não consigo pensar nisso agora. Eu simplesmente não consigo. Eu tenho que salvar Seth.

— Nós vamos salvar Seth.

— Ok. Nós vamos salvar Seth. — Por mais que eu detestasse admitir, tê-lo me ajudando era um alívio enorme.

— E, depois, vai voltar comigo para casa e começaremos uma nova vida.

Assenti, incapaz de o rejeitar agora. Todas as minhas paredes cuidadosamente construídas desapareceram, foram derrubadas pelo meu novo parceiro com a sua força e a sua vontade de ferro.

— Ótimo, porque eu quero que os teus pequenos suspiros de prazer sejam só para os meus ouvidos. As tuas paredes vaginais molharam os meus dedos, mas eu quero te sentir gozar na minha língua. Quero provar a tua boca e a tua boceta. Eu quero te inclinar e te preencher com o meu pau até que me implore para gozar, e quero te fazer gozar uma e outra vez até me implorar para parar.

Céus, aquilo era excitante. Dax era completa e totalmente desavergonhado quanto ao seu desejo por mim. Eu nunca senti nada mais real, mais intenso.

Senti o pênis dele, duro e grosso, contra a minha barriga. — E... hum, e você?

Ele levantou a minha mão e traçou um caminho de sangue seco que coloria a minha pele, era uma lembrança de tudo o que tínhamos feito neste dia. — A febre de acasalamento pode aparecer a qualquer momento. Quando aparecer, as minhas atitudes poderão ir além do que a minha vontade de manter o controle. Fique sabendo que só você pode acalmá-la. Eu vou lutar para não te tomar se estiver resistente, mas a minha vida está nas tuas mãos. É possível que *você* tenha de me tomar.

Imaginei-o deitado de barriga para cima enquanto eu o cavalgava como se fosse uma mulher louca, o seu pênis grosso e profundo enquanto eu socava meus quadris contra os dele, tomando o que eu queria dele. Eu não conseguia esquecer a ideia de ter este Warlord forte, poderoso, deitado de barriga para cima e entre as minhas coxas para que eu o tomasse. Quando ele acrescentou um sorriso malicioso no final da sua declaração, eu sabia que embora ele falasse sério, também flertava comigo. O grande alienígena coberto de sangue da Colmeia estava mesmo flertando comigo. Pela primeira vez, eu não tinha como retroceder.

———

Sarah

UM SOM ME DESPERTOU. Olhei entre a escuridão tentando entender o que era e onde eu estava. Estava vestida com a minha camisola e cacinha, com a minha roupa de dormir habitual. A cama era macia e o zumbido constante dos sistemas da nave não me permitia esquecer que eu não estava mais na Terra.

Aqui, eu ouvi-o novamente. Alguém estava no quarto.

— Luzes, meia potência.

O quarto se iluminou.

Voltou tudo para mim num instante. Eu estava nos aposentos temporários com o meu novo parceiro, à espera que a tempestade magnética parasse para que pudéssemos nos transportar. O quarto só tinha uma cama, não tinha sofá ou outra cadeira, obrigando-nos a partilhar. Eu não estava habituada a dormir com um homem – normalmente uma noitada amorosa não incluía dormir juntos. Mas isto não era um sexo casual, este era o meu parceiro, e eu tinha adorme-cido com o seu corpo enorme envolvido de forma bastante protetora ao meu redor. Embora a cama fosse enorme, Dax também era, e eu tinha desistido de protestar quando ele me puxou para junto dele e adormeceu.

No entanto, agora, os lençóis estavam num emaranhado selvagem. Eu estava na cama, mas Dax estava sentado num canto do chão. As mãos dele estavam fechadas em punhos, o pescoço dele arqueado, seu corpo nu brilhava de suor e os seus dedos tocavam num ritmo frenético contra o chão.

— Não se mexa. Não vou ser capaz de te salvar. — ele rosnou.

A preocupação me atingiu de forma cortante, mas fiquei quieta. — O que se passa? Foi um pesadelo? — Conheci vários combatentes que lutavam com pesadelos dos horrores das batalhas.

— A febre. Não se aproxime a não ser que queira me ver completamente enfiado em você e fora de controle.

Lembrei-me da força que ele tinha demonstrado enquanto agarrava o soldado da Colmeia e arrancava a sua cabeça. Mordi meu lábio inferior, preocupada, enquanto me perguntava o quão perigoso ele seria. — Acha que vai me machucar?

— Eu não sei o que a fera irá fazer, Sarah. Nunca tive a febre do acasalamento. Ela consegue te sentir, sentir o teu cheiro. Ela te deseja e você está aí — ele apontou para mim —, numa cama vestindo apenas essa roupa curta, com os mamilos duros. Eu consigo sentir o teu cheiro...

Ele fechou os olhos para me ignorar.

Ele não me machucaria. Lá no fundo, eu sabia disso. Não faço a mínima ideia de onde esse conhecimento surgiu, mas o meu instinto me dizia que ele não me machucaria. Nem agora, nem nunca.

A calça de dormir de Dax era preta e o material frouxo

não fazia nada para esconder o contorno rígido do seu pênis. Ele tinha a calça amarrada e isso provava que *tudo* nele era grande. Ele tinha dito que a febre trazia raiva, ira e desejo por sexo.

— Você disse que o trabalho de uma parceira era acalmar a fera. — disse eu, deslizando para fora da cama e engatinhando na sua direção. — E me disse que eu podia te montar, Dax. Você me prometeu.

Cada linha do seu corpo estava tensa, esticada com uma energia agitada e carente. Ele era como um modelo masculino, todo definido, com músculos duros. Os seus ombros largos se afunilavam numa cintura fina, uma linha de cabelos escuros estava entre os seus mamilos castanhos e se estreitava numa linha fina que passava sob a cintura da calça. Ele não tinha um conjunto de seis abdominais e sim, de oito. Ele não precisava de uma armadura para o corpo para ser duro como pedra. E embaixo, céus, o seu pênis parecia um martelo sob o tecido. Eu sentia dor, fisicamente, por sentir vontade de lhe tocar, de sentir a suavidade da sua pele, o calor dela, a sensação elástica dos cabelos do seu peito. A espessura do seu pênis. O *sabor* dele.

— Eu não acho que seja capaz de acalmar isto, Sarah. Quando a febre do acasalamento estiver totalmente sobre mim, e isto ainda nem chega perto disso, a única forma de acalmá-la é fodendo. Não uma, nem duas vezes. Tem de ser uma e outra vez até eu finalmente ter queimado toda esta inquietação e energia dentro de mim, toda esta carência.

Eu não fazia a mínima ideia por que a ideia de ter Dax à solta soava tão atrativa. Eu deveria estar com medo, tal como ele tinha avisado, mas eu não estava. Não depois da forma como ele me viu mais cedo. Ele tinha me batido, tinha me feito gozar. Embora ele tivesse sido dominador, não tinha me machucado. Tinha sido... excitante quando eu finalmente cedi o controle para ele, quando finalmente compreendi que eu não tinha de ser forte para ele.

Portanto, embora ele estivesse tentando ser forte para mim, era a minha vez de lhe dar o que ele precisava. *Eu* era a única que conseguia fazê-lo.

— Portanto, você quer me tomar com força? — Perguntei. Só a ideia de ele me tomar sem nenhuma delicadeza fazia a vagina chorar.

Os olhos dele estavam sobre o meu corpo. Minha camisola era apertada, delineando claramente os meus seios nus enquanto me rastejava para ao pé dele, os meus mamilos já estavam duros.

— Sim. — Os seus olhos se estreitaram e as pupilas pareciam ter desaparecido, tornando os olhos dele completamente negros.

— Você quer que seja duro? — Rastejei um pouco mais perto. Talvez *fôssemos* perfeitos um para o outro, porque eu não conseguia imaginar nada mais gostoso do que Dax em modo selvagem, o que significava que eu queria que fosse assim.

— Sim. — As palmas das suas mãos deslizaram para o chão como se ele estivesse tentando agarrar alguma coisa, qualquer coisa, exceto eu.

— Você precisa se aliviar? — Eu também sentia algumas necessidades. Eu *precisava* gozar uma ou duas vezes.

— *Sim.*

Senti-me poderosa e desejável e a minha vagina pingava devido à carência que voltava a se abater sobre mim. A forma como ele me fodeu com os seus dedos, me fez gozar por si só, fazendo-me querer mais. Agora, eu queria tanto quanto ele. Eu deveria ir embora. Deveria sair dali *correndo*, porque eu verdadeiramente não conhecia este homem. Eu ia fazer sexo com um estranho, com um alienígena gigante com a febre do acasalamento que queria foder e *foder*.

Céus, cada mulher da Terra mataria para estar no meu lugar. Eu não podia deixar passar esta oportunidade. As minhas paredes internas se comprimiram com a vontade de ser preenchida pelo seu pênis enorme. Olhei para ele e vi a forma como o seu pré-sêmen escorria pela ponta e molhava o tecido que estava justo no corpo dele. Eu conseguia ver claramente o contorno da coroa larga do seu pênis e o início da veia grossa que descia.

— Você tem de me tomar, Sarah. Se eu te puser sob mim, posso te machucar.

Os meus olhos se estreitaram de desejo. Eu estava de quatro diante dele. — Você quer que eu te monte?

Ele não respondeu com palavras, mas puxou o cordão que estava amarrado ao redor da sua cintura e empurrou a calça para baixo e puxou o pênis para cima. Ele se libertou e eu não pude evitar o espanto ao ver aquilo.

— Caramba!

Era o maior pênis que eu já tinha visto. Digno de uma estrela de filmes pornô. Ele tinha certamente escondido aquilo bem sob as calças do uniforme. Era grosso e estava bastante duro, a pele estava esticada e tinha um tom rosa escuro, cheio de sangue. Um fluido claro se reuniu na fenda estreita na parte de cima. Dax agarrou a base com a sua mão e começou a acariciá-la.

— Só de te ter olhando para o meu pau me dá vontade de gozar.

Eu observei enquanto ele descia e subia o seu punho e eu podia jurar que o pênis estava ainda maior.

— Eu não tenho certeza... eu não tenho certeza se isso vai caber.

Ele lançou-me um sorriso de dor. — Tira a sua camisola, Sarah.

Eu arqueei uma sobrancelha, depois, sorri. — Para quem quer que eu te foda, você é terrivelmente mandão.

— Eu vou arrancar isso de você em três segundos. Só pensei que iria querer ter algo para vestir quando eu terminasse.

Ele tinha um bom argumento e pela forma como a sua mão livre estava fechada num punho, eu não duvidava que ele fosse capaz de agarrar no decote da minha camisola e rasgar todo o tecido.

Sentando-me novamente sobre os calcanhares, levantei a camisola, passando-a pela minha cabeça, deixando o meu cabelo deslizar livremente pelas minhas costas.

Movi-me para poder tirar minha calça. Quando eu a deixei cair sobre a camisola, Dax gemeu.

Ajoelhei-me diante dele só de calcinha. Eu não sabia se as mulheres de Atlan utilizavam calcinhas ou não, mas visto que eu era da Terra, elas eram permitidas como sendo parte do meu uniforme. Elas eram brancas e simples, não eram nem um pouco sedutoras ou sexies, mas pela forma como Dax me olhava, era como se elas fossem as mais delicadas de renda e cetim.

Os meus mamilos endureceram perante o seu olhar.

— Se toca. Me mostra o que gosta. — ele rosnou, os seus olhos estavam presos aos meus seios.

Coloquei uma mão sobre a minha barriga e os seus olhos desceram até ela. Eu as movi para cima e sobre um seio, depois o outro. Embora eu gostasse de ver o seu olhar seguir a minha mão, eu queria o toque *dele*.

Ele balançou a cabeça lentamente. — Aí não. Mais para baixo.

O meu clítoris pulsou, concordando com ele.

Eu deslizei a minha mão novamente para baixo e, depois, por baixo da calcinha, os meus dedos passavam sobre o meu clítoris. Estava inchado, tão inchado que só tocar nele fazia a minha boca abrir-se e os meus olhos se fecharem.

— Quero os teus olhos em mim, Sarah. — A voz dele era um rosnado sombrio.

Eu olhei para ele, vi a carência feroz, o calor, o desejo.

— Está molhada?

Eu mordi o meu lábio e assenti, a essência escorregadia cobria não só os meus lábios inferiores, mas, agora também, as pontas dos meus dedos.

— Me mostra. Me prova que está pronta para o meu pau. Que você o deseja.

Levantei a minha mão e ele pôde ver a minha umidade revestir os meus dedos. Ele gemeu, a sua contenção tinha se enfraquecido e ele agarrou o meu pulso e puxou-me para frente. Eu coloquei uma mão sobre o seu ombro para me equilibrar e afastei os meus joelhos.

Ele colocou os meus dedos na sua boca e chupou o líquido pegajoso. Isto era a coisa mais erótica... como nunca.

— Dax. — gemi o seu nome enquanto a sucção dos meus dedos fazia-me pensar como seria sentir a boca dele na minha vagina.

— Tem um sabor doce. — ele rosnou. — Agora, Sarah. Tem de ser agora. Saber que você também o quer faz com que seja mais difícil me controlar. Se a fera escapar, ela não vai parar.

Ele me largou e eu coloquei a minha mão no seu outro

ombro. Embora ele estivesse obviamente com a febre, ele tinha esperado até saber que eu estava pronta para ele, que a minha vagina estava tão molhada que conseguia aguentar o seu pênis enorme. Mesmo agora, com a febre abatendo-o, ele garantiu que eu não me machucaria.

Quando ele endireitou as suas pernas, eu subitamente o montei. Levantando as suas mãos até meus quadris, ele enrolou os seus dedos até as laterais da minha calcinha e puxou-a, rasgando-a. Eu estava completamente exposta, completamente nua.

Movendo os meus joelhos para frente, posicionei-me para que estivesse diretamente sobre o seu pênis. Lenta e cuidadosamente, desci até que a cabeça brusca do seu pau resvalasse contra a minha vagina.

Ele assobiou e eu gemi. Suas mãos agarraram meus quadris com força. Eu certamente teria hematomas ali pela manhã.

— Agora, Sarah. Caralho. Agora.

Descendo minha mão entre as minhas pernas, separei as dobras escorregadias ao redor dele e desci o meu corpo sobre a cabeça grossa dele. Ele era tão grande que cada pedaço dos meus lábios sentia a pontada aguda de dor enquanto ele me alargava e preenchia. Já se tinha passado muito tempo desde que eu tinha estado com alguém, e ele não era um homem comum.

Apertei os ombros dele. Ele olhava para baixo, entre as minhas pernas e eu abaixei a minha cabeça para ver para onde ele olhava. Um bocado de cada vez, o pau dele ia desaparecendo dentro de mim. Era uma visão tão erótica e parecia que ia se intensificando mais e mais.

Respirei fundo várias vezes, tentando relaxar e permitir que a gravidade ajudasse. Dobrando os seus joelhos, ele ajeitou-se para que eu pudesse me sentar, dando-me mais espaço para me inclinar. Enquanto eu utilizava as suas coxas para me alavancar, o ângulo do meu corpo se movia ligeiramente e ele deslizava fundo bem suave, sem me dar tempo para me reajustar. De repente, fiquei simplesmente cheia. Muito cheia.

Gritei, a minha testa estava sobre o seu peito enquanto eu tentava respirar, contorcendo-me sobre ele, tentando subir. — É demais. É grande demais.

Ele acalmou-me com as suas mãos nas minhas costas, mantendo-me calma. — Tome um minuto para se ajustar. É perfeita para mim. Vai ver. Só de estar dentro de ti já ajuda. Eu não vou te machucar. Eu prometo. Sou grande e a tua boceta é tão apertada. Está tão molhada e ávida por mim. Agarre-se a mim. Sim, assim mesmo.

Enquanto ele continuava a falar comigo, eu relaxei, ajustando a sensação enorme dele. Eu *nunca* tive um pênis tão grande dentro de mim. Eu não tinha dúvida de que à medida que começasse a me mexer, eu ficaria completamente arruinada para todos os outros.

De repente eu queria me levantar, mover-me sobre ele. Ficar quieta era uma tortura instantânea. Movendo-me, recuei, depois desci, fazendo com que Dax gemesse.

— Outra vez.

Eu fiz outra vez. E outra vez.

— Não pare.

Ele não tinha que me dizer aquilo, porque eu não tinha intenção de parar. Comecei a cavalgá-lo de verdade, levantando-me e batendo contra ele com força; todas as vezes em que eu me movia, o meu clítoris roçava contra ele. Inclinei a minha cabeça para trás de forma livre, sabendo que ele não me largaria, ele não ia fazer nada além de me deixar fodê-lo até gozasse , até que eu *o* fizesse gozar.

Os meus seios pulavam e balançavam enquanto eu me mexia, mas eu não me importava. Eu sabia que ele conseguia sentir a pele suave nos meus quadris sob os seus dedos, mas eu não me importava. Eu não me importava com nada.

Nunca me senti tão excitada, tão ávida por alguém antes. Normalmente, eu precisava de muitas preliminares antes de sequer pensar em foder. Com Dax, bastava-me ouvir a sua voz, ver o seu pênis e eu estava encharcada.

— Eu vou gozar. — gritei, movendo meus quadris em pequenos círculos.

— Boa menina. Goze para mim. Goze para o teu parceiro.

Gritei enquanto gozava, o prazer daquilo fazia as pontas dos meus dedos formigarem e as pontas dos meus dedos dos pés ficarem dormentes. Os músculos das minhas coxas estremeceram e o suor escorreu pela minha pele. Não houve um momento mais vulnerável do que aquele, eu podia sentir as mãos de Dax agarrando-me com força, conseguia sentir o calor e a solidez dele sob mim.

Quando recuperei o fôlego e abri os meus olhos, Dax continuava enterrado dentro de mim, ainda duro e grosso. Ele sorriu para mim. — Você é linda quando goza.

Eu corei ao ouvir o seu elogio.

— A febre já acalmou um pouco. — ele respirou. Eu não conseguia entender ao olhar para ele. Suas mãos ainda estavam agarradas aos meus quadris, as veias no seu pescoço estavam rígidas e o seu pênis certamente não tinha diminuído.

Franzi a testa. — Mas... mas você ainda não gozou.

— Só de estar dentro de você já ajuda. Te ver gozar

ajudou *sem dúvida nenhuma*. Eu nunca tive a febre, portanto, também estou aprendendo. Não tema, eu estou novamente sob controle.

— Mas eu não quero parar. — Eu ainda conseguia montá-lo, ainda conseguia fodê-lo até que ele gozasse. Eu ainda podia gozar outra vez. Eu queria gozar de novo, como uma menina muito, muito safada. Eu queria mais. — Eu... eu não quero que você esteja sob controle.

— Você cumpriu o teu papel muito bem, parceira, ao acalmar meu monstro interior.— As suas mãos subiram, envolvendo os meus seios, os seus polegares passavam sobre os meus mamilos e eu me inclinei para o seu toque enquanto o fogo ia direitinho desde a direção dos meus seios até o meu clítoris. — Agora, *eu* vou te foder. Mas, primeiro, eu quero te provar.

Antes que eu pudesse responder, ele me levantou para que o pênis ficasse livre. Ele moveu-se para se deitar de costas no chão duro. Ao invés de ficar diante da cintura dele, fiquei diante do seu... rosto.

Olhei para baixo, para ele entre as minhas coxas, vi o brilho nos seus olhos e o sorriso malicioso nos seus lábios.

— Dax. — disse eu sem fôlego.

— Eu ainda consigo sentir teu gosto na minha língua desde quando lambi os teus dedos. Os fluidos da tua boceta acalmam a febre. Parece um remédio. Preciso de mais.

Ele, então, parou de falar, agarrou meus quadris e abaixou-me, fiquei sentada na cara dele.

Eu não tinha nada a que me agarrar e caí para frente enquanto as minhas mãos batiam contra a parede. Olhei para baixo, para a cabeça escura de Dax e vi que a língua dele passava pelo meu clítoris antes de voltar para a sua boca e ele me chupava. Eu estava certa. A língua dele *era* bem melhor do que os meus dedos.

— Você vai gozar para mim e, depois, vou te foder.

A voz dele estava abafada pelas minhas coxas. Ele beijou uma, depois, mordeu-a, fazendo-me ofegar. Ele era mandão e eu não me importava nada. Aparentemente, ser mandada gozar por um homem com a sua boca na minha vagina tornava o meu problema com autoridades muito mais fácil de ignorar.

— Ok. — respondi, porque que mulher recusaria outro orgasmo?

Então, cedi, visto que a minha única alternativa era sair dele, e isso *não* ia acontecer. Ele era um amante talentoso, empunhando a sua língua como um artista mestre. O meu clítoris já estava sensível e o toque suave da sua língua, a sucção total da sua boca me empurrava para a beira do abismo e mais além, rapidamente. Ele deixou-me cansada e ofegante, suada e saciada.

— Pênis. Eu preciso do teu pênis. — admiti.

Como se eu fosse uma boneca, ele me levantou facilmente e me carregou à cama. Ele me deitou de bruços e puxou os meus joelhos para baixo. A minha bochecha estava sobre os lençóis frios e o meu traseiro estava no ar.

Eu senti a pressão suave do seu pênis contra a minha vagina. Ele deslizou-o para cima e para baixo por cima da carne inchada e escorregadia.

— É isto que quer?

Eu agarrei os lençóis e olhei por cima do ombro. A calça tinha desaparecido e eu conseguia ver as pernas dele. Músculos puros curvados sob a sua estrutura alta. Os quadris dele eram estreitos e se afunilavam numa cintura fina, depois, um peito sólido e largo. Ele era como um *David*, de Michelangelo, se ele tivesse esculpido um homem no espaço.

Empurrei o meu corpo contra seu pênis, querendo-o dentro de mim e sem disposição para esperar. — Sim.

A cabeça larga tocava em toda a minha carne tenra, mesmo pressionada contra a minha entrada traseira, onde nada tinha tocado antes. — Aqui, Sarah. Quando eu estiver sob controle total, eu vou te querer aqui. A fera pedirá pela tua boceta. Ela só pensará em procriar contigo, em te ligar a ela para sempre. — Ele acariciou a minha entrada traseira com o seu polegar, provocando-me com os seus pensamentos eróticos. — Mas eu vou querer explorar tudo em ti, parceira. Cada centímetro do teu corpo será meu para provar, para tomar e para foder. — Ele deslizou para dentro do meu calor úmido num empurrão forte e rápido e eu o comprimi, pensando sobre o quão grande ele parecia dentro da minha vagina. Eu não conseguia imaginá-lo tomando-me numa zona tão privada.

— Eu nunca... Eu não... — admiti.

— Eu quero tudo em ti. — Ele inclinou-se sobre as minhas costas até que a sua boca pousasse mesmo atrás do meu ouvido enquanto o seu pênis ia dentro e fora do meu corpo. — Você é minha.

— Sim.

Ele afastou-se de mim e caminhou até a parede. Pousei a minha bochecha nos lençóis frios e tentei ignorar a sensação de vazio na minha vagina, tentei não pensar no quanto eu o queria de volta onde ele pertencia, dentro de mim, fazendo-me gozar.

Ainda assim, esta vista tinha as suas vantagens. Admirei aquilo que me pertencia, vi os músculos do seu traseiro perfeito se flexionarem e apertarem enquanto ele se afastava.

— O que está fazendo? — Perguntei. Será que ele não queria terminar? Será que ele estava farto de mim?

— Esqueci que você não é do meu mundo e não foi preparada para um amante Atlan.

Franzi a testa.

— As fêmeas Atlan são preparadas a partir do seu décimo oitavo aniversário para agradar um parceiro. Para estarem preparadas para a febre do acasalamento deles. Elas estão preparadas na arte de foder. Todos os tipos de foda.

— Quer dizer que...

Ele pressionou alguns botões numa unidade da parede e voltou com uma pequena caixa. Voltando até mim, ele colocou a caixa na cama, ao meu lado, e abriu a tampa.

Os meus olhos se arregalaram quando ele me mostrou o dispositivo para o cu. Eu nunca tive nada enfiado ali antes, mas isso não significava que eu não sabia o que era.

— Todos os tipos de foda, Sarah. Boceta, boca e cu. Já chupou um pau antes?

Ele tirou uma bisnaga de alguma coisa que parecia ser um lubrificante.

— Sim. — respondi, mas não um tão grande quanto o dele. Eu definitivamente não conseguia tragá-lo todo. Nem mesmo uma estrela de filmes pornô conseguia aguentar aquilo tudo.

— E o teu traseiro? Tem um cu virgem, Sarah?

Ele apertou uma grande quantidade de lubrificante transparente e colocou-o no dispositivo. Era menor do que o seu pênis, mas eu tinha as minhas dúvidas quanto à capacidade de aquilo caber em mim. Empurrei os meus cotovelos para cima.

— Volta para baixo, por favor. Está na hora de preparar esse teu lindo buraco apertado. Fui acalmado, temporariamente, mas eu nunca vou querer te machucar. Só te quero trazer prazer. — Com uma mão, ele afastou uma nádega da outra, abrindo bastante o meu traseiro. — Da maneira como me responde, não tenho dúvida de que vai adorar levar o meu pau bem fundo neste teu traseiro.

Eu corei, sabendo que ele conseguia me ver toda. — Diz o homem que *não* vai ter um dispositivo enfiado dentro do seu cu. — resmunguei.

Eu conseguia ouvir o riso dele, mas ele não cedeu. Senti a ponta escorregadia e dura do dispositivo na minha entrada traseira.

— Não, diz o homem que vai treinar o traseiro de sua parceira para o seu pau, e se ela for uma boa menina, vai lhe foder bastante e com força. Quantas vezes você pode gozar numa noite, Sarah?

Estremeci enquanto ele começava a empurrar o dispositivo dentro de mim. Na verdade não doeu, mas só pareceu muito, muito estranho.

— Oh, hum. Normalmente uma vez, talvez duas, se eu me tocar.

Ele continuou a colocar o dispositivo dentro de mim, abrindo-me cada vez mais.

— Dax! — Gritei, mas aquilo deslizou, ficando no lugar, o meu traseiro comprimiu-se na seção estreita. Eu conseguia sentir o punho largo pressionando contra o meu traseiro.

— Tão bonita. — Ele deslizou um dedo sobre as minhas dobras. — Tão molhada. Você gosta disto. Estou tão feliz por ter cedido, por teu corpo aceitar o que eu te dou.

— Se você está no comando, então, me fode de uma vez.

Ele bateu na base do dispositivo e aquilo ganhou vida. Ai, caralho, era um dispositivo vibrador. Terminações nervosas que eu nem sabia que eu tinha ganharam vida e eu me arqueei sobre a cama.

— Viu? As vantagens de uma fêmea Atlan. Há várias e eu estou ansioso por te mostrar cada uma delas.

Sim, esta era uma vantagem que eu definitivamente gostava.

Comecei a contorcer-me na cama, a sensação outrora suave dos lençóis agora, friccionava os meus mamilos sensíveis. O meu clítoris inchou e eu esfreguei-o no colchão. Eu não conseguia controlar o prazer intenso que vinha do meu traseiro. Caramba, eu ia gozar assim mesmo. — Dax!

— Você me fodeu, Sarah. Agora, é a minha vez de te foder. Você vai tomar. Vai tomar tudo em mim porque você vai gostar. Diga as palavras.

Eu amava a forma como ele era tão irresistível e dominador, e, ainda assim, ele não me tomava sem a minha permissão. Ele podia enfiar um dispositivo dentro do meu traseiro, mas ele não iria me foder até que eu concordasse. Ele se afastaria de mim se eu dissesse que não. Mesmo com a sua necessidade de acasalar – como ele chamava – de acalmar a febre, ele garantia que eu estava com a mentalidade correta.

— Eu te quero. Céus, por favor, eu preciso disso. — gemi, ofegante e desesperada. — Não pode me deixar assim!

Cuidadosamente, ele deslizou para dentro de mim, lentamente, mas num só empurrão longo. Ele saiu totalmente e eu atirei a minha cabeça para trás ao sentir a sensação incrivelmente apertada do seu pênis e do dispositivo preenchendo-me. Eu já me senti preenchida antes, quando eu montei nele, mas este ângulo, esta posição fazia com que ele fosse bem mais fundo. O dispositivo estava apertado, as vibrações tornavam tudo muito mais intenso. Era *tão* bom.

Então, ele começou a se mexer, deslizando para dentro e para fora no seu ritmo, da forma que ele queria. — Vê, Sarah, quando eu estou no comando, você gosta. Eu controlo a tua boceta. Eu controlo o teu traseiro. Você vai gozar para mim, uma e outra vez. Duas vezes não vai ser o suficiente. Eu vou espremer cada bocado de prazer do teu corpo e você vai me dar isso.

Eu comprimi-o só de pensar naquilo e cerrei os meus dentes.

A mão dele desceu sobre o meu traseiro, com força. A palmada barulhenta preencheu o quarto.

Então, gozei, gritando. A mistura das vibrações, o pênis dele enterrado bem fundo e a palmada quente e brusca levaram-me ao meu limite. Apertei o pau dele, comprimindo-o, ávida por tê-lo mais fundo no meu corpo.

Inclinando-se sobre mim, o seu peito moldou-se às minhas costas enquanto ele colocava uma mão na lateral da minha cabeça. — Eu posso fazer o que eu quiser e você *vai* se submeter. Por quê?

Os quadris dele continuaram a entrar e sair de mim enquanto ele continuava com a sua pornografia verbal. Eu estava prestes a gozar novamente só de ouvir as suas palavras.

— Porque você quer que eu te tome. Precisa que eu esteja no controle. Precisa se submeter tanto quanto eu preciso dominar. Não faz a mínima ideia do que eu vou fazer a seguir, mas, ainda assim, quer que eu o faça. Nós somos perfeitos um para o outro.

— Sim! — Gritei quando ele colocou a sua mão ao meu

redor e colocou o meu clítoris entre dois dos seus dedos e beliscou.

Seus quadris perderam o seu ritmo calculado e ele começou a me foder de verdade. Com força bruta. Com empurrões curtos. Respiração ofegante. Gozei outra vez, pulsando ao redor do seu pênis. Uma, duas vezes, ele me preencheu, depois, mordeu o meu ombro enquanto gozava, sufocando o seu gemido e enchendo-me com o seu sêmen quente. A pequena pontada de dor só me levou mais além para outro orgasmo poderoso. Colapsei sobre a cama enquanto Dax tirava o pênis de dentro de mim e caía ao meu lado. A cama deu um salto e eu rolei para perto dele. Senti uma leve pressão contra o dispositivo e as vibrações pararam.

Gemi com a sensação persistente de ser completamente dominada, bem fodida e saciada. Nós estávamos suados e pegajosos, o sêmen dele deslizava para fora de mim. O meu cabelo estava um emaranhado selvagem e eu estava desgastada, o meu corpo, sensível.

— Isto acabou com a tua febre? — Perguntei sonolentamente algum tempo depois.

— Mmm. — disse ele. — Não. Mas estou novamente sob controle. Por ora. A fera vai voltar até ela conseguir te foder.

— O que isso significa, Dax?

Ele suspirou e colocou-se de lado para poder acariciar-me, a sua mão enorme passava desde a minha coxa até o meu ombro e, depois, fazia o percurso de volta, persistindo sobre todos os lugares suaves e sensíveis pelo meio. — Já viu uma fera Atlan enfurecida?

— Não. — relaxei sob o seu toque, satisfeita de um modo que não conseguia ser explicado por palavra enquanto a sua mão quente me acalmava. — Pensei que talvez tivesse visto algo quando você estava no cargueiro, mas não tinha certeza.

— Sim. — Ele beliscou o meu mamilo e eu abri os meus olhos e dei de cara com ele observando-me. — E o que viu?

Era difícil falar com ele girando o meu mamilo endurecido entre os seus dedos, puxando-o e brincando comigo, mas eu tentei, estando muito saciada para resistir. — Você parecia maior, como se tivesse crescido. O teu rosto também parecia mais malvado, mais como o de um guerreiro Prillon, mais acentuado de alguma forma.

A mão dele moveu-se desde o meu mamilo para explorar as dobras ainda molhadas da minha vagina. Quando eu mantive as pernas juntas, ele inclinou-se e mordeu o meu ombro. — Abra-se para mim. Agora. Quero sentir o meu sêmen na tua boceta. Quero te tocar.

Meu Deus, o rosnado estava de volta. Falando de neandertais... Ele queria espalhar o sêmen dele sobre mim? Sentir a sua reivindicação profundamente, sendo que ele tinha entrado dentro de mim momentos atrás? Está bem. Não era como se ele não tivesse visto, tocado, provado e fodido cada centímetro em mim. E o dispositivo ainda me preenchia o cu.

Abri bem as pernas e os dedos dele pressionaram fundo, o calor úmido dos nossos fluidos combinados trouxeram um rosnado mais profundo dele enquanto ele me preenchia com dois dedos e passava o seu sêmen pelos meus lábios vaginais e coxas.

— Quando um Atlan entra no modo fera, os músculos dele podem aumentar até metade do seu tamanho. Os seus dentes parecem alongar-se enquanto as suas gengivas se retraem e a sua mente fica enevoada com combates. Além disso, durante o acasalamento, a neblina geralmente vem quando ele é ameaçado, em combate ou quando ele está defendendo a sua parceira.

Ele esfregou preguiçosamente o meu clítoris com o seu polegar e meus quadris se sacudiram involuntariamente. — Você entrou em modo fera por eu estar ali?

— Sim.

Eu olhei para o teto tentando dar sentido à minha nova vida enquanto ele brincava com o meu corpo, lentamente me trazendo de volta à vida, fazendo-me ansiar novamente pelo seu pênis. Céus, a fera dele ia me foder? Aquele bruta-montes enorme que tinha arrancado as cabeças dos soldados da Colmeia sem suar? O que isso significava, ser fodida por uma fera? Será que Dax ia ficar mesmo fora de controle? A mente dele desapareceria? Quão grande ele iria ficar? E por que aquela ideia me fazia querer cruzar as pernas e apertá-las para lutar contra o calor crescente no meu corpo? A minha vagina atrevida queria o pênis da fera, queria que o meu novo amante estivesse um pouco fora de controle.

— Parece que os meus instintos de acasalamento entraram definitivamente em ação.

Muito envergonhada com o desvio dos meus pensamentos, não abri os meus olhos quando perguntei: — Que instinto é esse?

— Sinto-me como um vencedor, como se tivesse vencido um combate ao ver o meu sêmen deslizar da sua boceta inchada e bem fodida. Ao ver o dispositivo preparar o teu cu para mim. Os teus olhos estão vidrados e o teu corpo, fraco, e eu quero bater no meu peito e rugir sabendo que te dei todo esse prazer, que o meu pau preencheu tanto que ainda vai se sentir possuída por mim pela manhã.

— Maravilha das maravilhas, o ego masculino é igual

por toda parte — rebati, muito bem disposta para me ofender. — Na Terra, chamamos a isso ser um homem das cavernas.

Ele rosnou e os meus olhos se abriram enquanto ele me prendia sob ele, o seu pau duro escorregando na minha vagina ainda pingando num golpe lento e fácil. Ele prendeu os meus braços sobre a minha cabeça na cama e me fodeu lentamente, a queimadura lenta transformando-se em fogo instantâneo enquanto eu envolvia as minhas pernas ao redor dos seus quadris e choramingava. O seu olhar estava intenso e focado, observando cada movimento das minhas pálpebras, cada respiração enquanto ele me montava, me tomava, me fodia. Com o olhar fixo no meu, ele empurrou o seu pênis com força e disse: — E você tem um homem das cavernas na Terra, minha Sarah?

Pensei em provocá-lo, mas imediatamente pensei melhor sobre isso quando ele saiu e entrou com força e profundamente, movendo-me na cama com a força do seu empurrão.

— Não. Você é o único homem das cavernas que eu tenho.

Ele rosnou, as suas palavras quase não era reconhecíveis. — Você é minha.

E ele entrou.

— Minha.

E ele entrou.

Ele me fodeu até eu estar desesperada para gozar, até a palavra *por favor* cair dos meus lábios.

Ele ficou perfeitamente quieto, com o seu pênis dentro de mim e esperou até que eu o olhasse nos olhos. — Diga o meu nome, Sarah.

— Dax.

A minha recompensa foi um empurrão forte de seus quadris e eu arfei. Ele ficou quieto, pôs as mãos entre nós e ligou novamente o vibrador do meu cu.

— Qual é o meu nome?

Oh, céus. Nós íamos brincar assim?

Tentei levantar meus quadris; ele simplesmente prendeu-me na cama com o seu peso enorme. Os meus braços estavam presos sobre a minha cabeça, os meus seios, empurrados para cima e à vista para o deleite dele. Eu não tinha outra opção.

— Qual é o meu nome?

— Dax.

Então, ele se moveu. Era a minha recompensa. O seu pênis enorme esticando-me e acariciando-me profundamente ao longo das paredes da minha vagina, atingindo aquele lugar especial que me fazia perder a cabeça. Ele não tinha que pedir novamente.

— Dax. Dax. Dax.

— Boa menina. — Ele sorriu e me deu o que eu queria. Antes de ele acabar comigo, o seu nome preencheu o quarto como se fosse um cântico.

8

— As COORDENADAS para a localização do Capitão Mills estão programadas. — Um dos assistentes de transporte deslizou a mão sobre um tablet, depois, olhou para mim. Olhou *para cima* para me ver, visto que ele não era lá muito alto.

Demorei um pouco para entender que ele não se referia a Sarah, mas sim, ao seu irmão, Seth. Sarah já não era um membro da frota da Aliança, ela era minha. Eu só precisava ir buscar o irmão dela e trazer ambos de lá vivos.

O Comandante Karter se mostrou legal, permitindo-nos usar os nossos uniformes blindados. Ele até nos tinha fornecido pistolas de íons.

— Não pode mudar de ideia e voltar para lutar se estiver morta. — disse ele a Sarah. Isso foi provavelmente o máximo de sentimentalismo que iríamos ter da parte dele, mas eu estava grato por ela estar bem protegida do que quer que fôssemos enfrentar. Eu tinha a fera dentro de mim para ajudar. Se um combatente da Colmeia estivesse perto de Sarah, eu certamente entraria em modo *berserker* e o mataria com as minhas próprias mãos. Eu também tinha uma arma comigo, só por precaução, mas duvidava que a fosse utilizar.

Mesmo utilizando novamente a sua armadura de corpo, não havia como ela esconder as suas curvas, pelo menos não de mim. Talvez eu as tenha notado mais porque sabia exatamente como eram os seus seios, qual era a sensação deles nas minhas mãos e qual era o sabor dos mamilos. Os quadris dela pareciam mais redondos, mas isso era porque eu sabia o quão suaves eram sob as minhas mãos enquanto ela gozava no meu pau. Não era sequer a febre do acasalamento que me fazia olhar para Sarah com um desejo mal reprimido. Eu era simplesmente um homem admirando uma mulher exuberante e desejável.

— Warlord, a última localização conhecida do Oficial Mills foi a bordo da nave de transporte da Colmeia. Havia sinalizadores de vários outros combatentes da Colmeia zumbindo a partir dali, o que nos leva a acreditar que é uma nave de prisão ou de transporte a caminho de um centro de integração.

— Eu ouvi falar dos CI. — respondi, sem querer falar em voz alta o que a Colmeia fazia aos prisioneiros ali: tornava-os parte do seu coletivo, implantava os seus corpos biológicos com tecnologia sintética que assumiria tanto os seus corpos quanto a sua vontade. Tornava-os escravos. O queixo da Sarah se comprimiu e eu vi-a piscar os olhos, preocupada com o seu irmão. Aquela pequena demons-

tração do medo dela provocou nela todo um desejo de desaparecer.

— Para que direção viaja a nave? — Perguntou Sarah.

O oficial de transporte lançou o seu olhar sobre Sarah,
manteve os olhos postos nos seios dela, depois, em mim. —
Eles estão saindo do sistema, em direção ao Setor 438,
Warlord.

Eu vi o olhar da Sarah se estreitar para o desdém
gritante.

Apontei para a minha parceira. — Ela lhe fez uma
pergunta.

— Sim, mas *ela* já não é um membro da frota da
Aliança.

Sarah se remexeu sobre os pés, fora isso, ela não
mostrou nenhum sinal exterior de irritação. Eu, no entanto,
senti uma raiva muito semelhante à da febre do acasalamento a se acumular dentro de mim. Este... assistente estava
sendo machista e desrespeitoso com Sarah, com a minha
parceira.

— Eu também não. — rebati.

— Se a nave estiver dirigindo-se na direção do 438,
então, caminha-se para um espaço controlado pela Colmeia.
Uma vez que seja cruzado, eles estão perdidos. Não teremos
muito tempo para resgatá-los. — Sarah ignorou o chauvinista por detrás do controle dos transportes e só falou
comigo.

A boca do assistente se abriu completamente, depois,
fechou-se com um clique audível ao ouvir a informação
dada por Sarah.

— Assistente de transporte... Rogan. — Ela olhou para o
nome que estava na etiqueta da camisa do seu uniforme. —
Quando fizer o transporte, por favor, altere as coordenadas

da localização exata do Capitão Mills para dois convés abaixo.

O assistente franziu a testa. — Dois convés abaixo?

— Muito provavelmente eles estão mantendo o meu irmão e quaisquer outros prisioneiros na prisão, e nós não queremos nos transportar para uma cela de detenção. Também não queremos nos transportar diretamente à frente da Colmeia. A cela está localizada no nível cinco de um transporte CI. Dois andares abaixo é o andar de abastecimento, que é algo que você saberia se alguma vez tivesse estado numa missão de reconhecimento a bordo de uma nave da Colmeia. O nível cinco é automatizado e normalmente não é tripulado pelo pessoal da Colmeia.

Ela arqueou uma sobrancelha castanha, desafiando o homem a duvidar dela.

— Ela está certa? — Perguntei, o meu tom era o que eu utilizava quando comandava uma brigada de Atlans.

Ele enrijeceu o corpo e olhou para mim. — Está correta. A Colmeia utiliza robôs para manter e servir os seus produtos. — ele respondeu.

— Então, faça como a *antiga* Capitã Mills ordenou.

O plano dela era um bom plano. Eu estava preparado para lutar com a Colmeia logo após o transporte, tal como tinha feito quando fui enviado diretamente para as coordenadas de Sarah. Nem o oficial de transporte, o Comandante Deek ou eu pensamos exatamente para onde estaríamos transportando quando eles me enviaram para a minha parceira. Nenhum de nós presumiu que ela estaria num combate naquele preciso momento. Foi um erro tático, porque eu pus a equipe de Sarah em perigo e isso fez com que Seth Mills fosse capturado pela Colmeia.

Se eu tivesse pensado no que Sarah pensou agora, na

localização exata não do nosso alvo, mas de um local seguro para nos transportarmos, nós muito provavelmente não estaríamos passando por esta perigosa missão de resgate.

Era só eu e ela, ainda assim, ela pensava como uma verdadeira guerreira e eu senti algo que eu não tinha esperado sentir a respeito das habilidades de combate da minha parceira... orgulho.

— Sim, Warlord.

O assistente de transporte deslizou o seu dedo uma vez, depois duas, e eu olhei para Sarah. — Está pronta?

Ela assentiu, depois, pegou na minha mão. Não tive tempo para pensar sobre o gesto, num piscar de olhos nós já não estávamos mais na nave de combate, mas numa sala mal iluminada e cheia de caixas duras. O zumbido profundo das máquinas era constante, muito mais alto e profundo do que a cadência habitual dos sistemas de um navio. Imediatamente, Sarah agachou-se. Por um breve momento, imaginei-a abrindo a minha calça e levando meu pau à sua boca. Eu ainda não tinha descoberto o quão habilidosa ela era chupando um pau, mas só podia imaginar que ela era tão voraz e ávida como era na foda que já tínhamos feito. O pensamento da língua dela lançando-se sobre a minha coroa larga me fez ter de movimentar o meu pau nas calças. Tive que tirar o pensamento da doce sucção de sua boca da minha cabeça. Ajoelhei-me ao lado dela e concentrei-me na nossa missão.

— Não sabemos se há alguma Colmeia monitorando este nível ou qualquer tipo de sensor de movimento para indicar formas de vida. — disse ela, a voz, calma e serena.

Ela estava focada, embora se ela ainda tivesse aquele dispositivo no cu, eu duvidava que ela estivesse assim tão calma e serena. Inferno, ver aquele buraquinho apertado se esticar ao redor do dispositivo deixou-me...

— Fique aqui, eu vou investigar. — disse ela, depois, pôs-se em ação.

Foco!

Eu estava habituado à abordagem de luta de atacar e conquistar. A brigada de combatentes Atlan era uma força que nem mesmo a Colmeia conseguia enfrentar. Mas Sarah não era Atlan e eu tive que me lembrar constantemente de que a paciência e a estratégia eram necessárias agora, não a coragem.

Agarrei o ombro dela, parando-a. — Vamos fazê-lo juntos. — Levantei o meu pulso. — Lembre-se, não podemos nos separar.

— E se formos apanhados? — ela perguntou.

Eu comprimi o queixo. — Nós não vamos ser apanhados.

— Os primeiros da Colmeia que virmos... vamos imobilizá-los para podermos tomar as suas armas e as suas unidades de comunicação.

— E depois? — Estudei-a, sendo esperto o suficiente para saber que agora estávamos no território dela. Eu nunca tinha metido os pés numa nave tão pequena antes de vir para este setor. Eu não tinha sobrevivido uma década em combate ignorando o conhecimento ou a experiência dos meus melhores lutadores.

— Os elevadores estão localizados centralmente nas naves da Colmeia, mas também há túneis de acesso. Eu acho que devemos ir pelos túneis. Teremos mais chances de os apanhar de surpresa.

— Concordo.

Ela assentu e virou-se para dar a volta dos mantimentos.

. . .

Sarah

SETH ESTAVA NESTA NAVE-PRISÃO. Outros homens, homens que não mereciam o que o destino lhes reservava, também. Com sorte, nós resgataríamos todos eles a tempo. Será que Seth já tinha sido modificado? Será que ele teria a pele metálica e os olhos prateados de um ciborgue sem vida? Será que ele teria acessórios externos nos seus braços e pernas? Será que eles iriam raspar a sua cabeça? Injetar-lhe com implantes microscópicos nos seus músculos, tornando-o mais rápido e mais forte do que um humano deveria ser? Será que ele ainda se parecia com o meu irmão?

Não importava. Desde que ele estivesse vivo, eu não me importava com o seu aspecto.

Dax guiava o caminho, mudando-me de lado quando eu ia primeiro. Sim, ele era um homem das cavernas, mas, neste momento, ele tinha duas coisas que me impediam de bater nele: a capacidade de arrancar cabeças da Colmeia sem aquecer primeiro e um bom traseiro. Se alguém da Colmeia aparecesse, Dax entraria em modo *berserker* para cima deles ao invés de atirar. Entretanto, eu tentaria focar-me em resgatar o meu irmão ao invés de sentir o traseiro de Dax nas minhas mãos. Eu sabia como ele se flexionava quando me fodia. Caramba, eu estava enrascada. Ele era o único macho em toda a galáxia que conseguia me distrair durante uma missão.

Nem sequer se tinham passado dois dias e eu já tinha mudado tanto. Não era o fato de eu já não ser uma comba-tente da Aliança. Não era o fato de eu estar acasalada com um Warlord de Atlan. Nem sequer era o fato de o meu irmão ter sido capturado pela Colmeia. Tinha sido a percepção de que eu já não ia passar o resto da minha vida sozinha. E que eu já não teria de viver a minha vida por outra pessoa.

Eu tinha me juntado ao exército porque era boa nisso e era boa nisso porque tinha crescido com três irmãos mais velhos que não me deram outra alternativa. O meu pai não me tinha oferecido vestidos de princesa ou um pónei, ou, até mesmo, um vestido para o baile de debutante. Era guerra de paintball, aulas de karaté e hóquei no gelo. Eu nunca escolhi nenhuma dessas coisas, só seguia o resto – da manada – e participava porque era a mais nova, mas também porque se não o fizesse, eu ficaria sozinha. Sozinha.

Então, o meu pai me atirou a pior porcaria de toda a minha vida. Uma promessa no seu leito de morte. Eu tinha entrado na Aliança porque tinha prometido ao meu pai que encontraria Seth e ficaria de olho nele. Eu tinha estado tão focada que nem me apercebi que o meu pai tinha me roubado toda a minha vida. Eu não tinha escolhas. Pelo menos, não tinha escolhas minhas. Eu só tinha que encontrar Seth. Eu o tinha encontrado, lutado ao lado dele, mas, depois ele foi capturado. E depois que eu resgatasse Seth da prisão da Colmeia e o transportasse para um lugar seguro? O que aconteceria? Eu teria de ficar ao lado dele para sempre? Eu tinha cumprido o desejo do meu pai e eu traria Seth para um local seguro. Eu tinha me juntado à Aliança, deixado a Terra. Inferno, eu até tinha concordado em me tornar na parceira de um Atlan para manter a promessa que fiz ao meu pai.

Qual era a minha vontade? Que escolha tinha eu feito na vida que eram mesmo minhas? Surpreendentemente, foi

Dax que me fez ver que havia alguém que me queria por mim, que queria o que eu queria, que estava disposto a fazer algo por mim. Era diferente, era surpreendente. Era cativante.

Este alienígena gigante e enorme queria o que era melhor para mim. Sim, isso incluía agir como um Neandertal – como agora, quando eu tinha que permanecer em segurança por detrás dele. Ele concordou quanto a ajudar-me a resgatar Seth porque ele sabia que era importante. Ele sempre se certificava de que a minha cabeça estava no lugar certo antes de me foder, garantindo sempre que eu estava molhada e ávida por ele. Ele até colocou o maldito dispositivo no meu traseiro porque ele sabia que me daria mais prazer – mesmo eu estando completamente cética quanto a isso. Eu estava um pouco dolirida agora, mas, na verdade, todas as minhas partes femininas estavam doloridas. Eu não era fodida assim há... bem, nunca fui.

O objetivo dele era dar-me nada mais do que prazer, portanto, quando isto terminasse, quando Seth estivesse em segurança, eu pensaria muito bem e com muita força sobre como agradar Dax. Não porque me disseram para fazê-lo. Não porque eu tinha que fazê-lo de modo a ser aceita pelo meu parceiro, mas porque eu *queria* saber que o tinha deixado verdadeiramente feliz.

Passos barulhentos quebraram a minha corrente de pensamentos. Não era de um enorme grupo da Colmeia, provavelmente os três habituais. Quando Dax saiu de trás do caixa de mantimentos para lutar com eles, eu tive um momento para entrar em pânico com medo que algo lhe tivesse acontecido, mas esse medo foi muito curto até mesmo para subir o meu ritmo cardíaco. Grunhidos e gemidos, uma explosão de íons, metal duro atingindo o chão, uma queda de uma caixa de mantimentos, depois, silêncio. A respiração de Dax estava ofegante. — Tudo limpo.

Eu fiquei ali parada e vi que realmente havia três membros da Colmeia. Dois estavam sem cabeça e um tinha levado um tiro. Dax abaixou-se e apanhou uma arma da Colmeia para mim. Era ligeiramente diferente da arma padrão da Aliança, mas depois de alguns segundos verificando-a, senti que podia facilmente trabalhar com ela. Eu, agora, tinha uma arma em cada mão.

A respiração de Dax não acalmou e eu conseguia ver o batimento cardíaco dele bater contra os tendões estreitos do seu pescoço. — Sarah — ele rosnou.

Os meus olhos arregalaram-se. — O quê? O que é que se passa? Eles estão mortos, eu estou em segurança.

Ele balançou a cabeça, ainda que de forma brusca. — É... merda, é a febre. Lutar contra estes três despertou-a.

— Então, use-a. Vamos buscar o meu irmão, os outros. No caminho, pode arrancar as cabeças de tantos da Colmeia quantos quiser.

— É mesmo forte. Céus, voltou tão rápido. — Ele deu um passo atrás. Eu reconheci que ele tentava me proteger dele próprio.

Olhei ao nosso redor, apercebendo-me de que estávamos na nave-prisão da Colmeia e que eu tinha de encontrar Seth, mas não podíamos avançar sem que Dax estivesse novamente sob controle. Eu tinha de o acalmar. Eu tinha que, de alguma forma, colocá-lo novamente sob controle... eu tinha que descobrir algo que não envolvesse foder. Eu não ia conseguir colocá-lo onde estávamos. Tudo estava em silêncio, mas podia não permanecer assim.

— Eu sei. É perigoso para nós. Não consigo trabalhar

assim, não consigo ver quem é mau e quem é bom. Se o teu irmão tocar em ti, vou matá-lo.

Ele avisou-me que aquilo podia correr mal, que a febre seria avassaladora. Mas, agora? Aqui? Uma rapidinha podia funcionar, mas nenhum de nós teria juízo quanto a nós próprios. Três ou trezentos membros da Colmeia podiam aparecer enquanto estivéssemos fodendo e nenhum de nós iria perceber. Nenhum de nós se preocuparia sequer.

Eu tinha que acalmá-lo, mas foder estava fora de questão. Também não tínhamos tempo para nos demorarmos e ficarmos por aqui. Eu tinha que pensar e tinha que fazê-lo rápido ou eu seria pressionada contra a parede, ele me tiraria as calças e enfiaria o seu pau dentro da minha vagina. E fiquei molhada só de pensar nisso. Caralho, eu já estava molhada só de olhar para o traseiro dele.

Coloquei a minha arma sobre uma caixa perto de nós, caminhei até ele e acariciei o seu rosto. Ele assobiou uma respiração enquanto colocava os seus braços ao meu redor.

— Nós não podemos foder. — respirei enquanto ele passava as suas mãos sobre mim, mesmo que eu quisesse tanto que a minha vagina até doía.

— Não. — ele respondeu, respirando ofegantemente.

— Me beija. — disse eu. — Toque em mim. Eu estou aqui. Eu estou contigo. Tudo vai correr bem.

Levantei na ponta dos pés para poder beijá-lo. Dax não resistiu, mas veio de encontro à minha boca de forma ávida. A língua dele instantaneamente roubou-me enquanto suas mãos vagueavam pelo meu corpo; meus quadris, meu traseiro e meus seios. Era tão fácil afundar-me naquele beijo por causa da sensação dele, o sabor dele era avassalador. Eu estava afundando-me rapidamente, mas tinha que manter a cabeça no lugar. Eu tinha de o beijar com toda a carência e desejo que sentia desde que tínhamos ido à cama, mas tinha de ser eu a puxá-lo para trás. Dax estava claramente no comando no que dizia respeito a foder, mas agora, neste momento, eu tinha que tomar a liderança.

Puxando a minha cabeça para trás, repousei a minha testa contra a dele. As nossas respirações se misturaram e ambos estávamos ofegantes como se tivéssemos corrido uma maratona.

— Está melhor? — Sussurrei.

— Eu adoro o teu sabor. Os teus lábios, a tua boceta. — ele respondeu, a sua voz era áspera.

— Acalma esse teu monstro para podermos ir buscar Seth e sair desta maldita nave. Quando estivermos em segurança nos nossos aposentos, aí, poderá provar tudo em mim.

Eu esperava que a promessa – e aquilo era uma promessa – fosse o suficiente para o acalmar.

Um rosnar profundo saiu de dentro do peito de Dax. — Melhor. — ele murmurou, depois, afastou-me dele. — Fique avisada de que assim que estivermos sozinhos e sairmos da nave inimiga, eu vou te foder até não conseguir andar como deve ser.

— Anotado. — disse eu, a minha vagina se comprimia ao ouvir a promessa na sua voz.

— Vamos buscar o teu irmão e sair fora daqui.

Enquanto Dax me levava pelo túnel mais próximo, eu não podia ter dito nada melhor.

9

O BEIJO de Sarah acalmou a fera que tinha sido despertada pelo sangue da Colmeia nas minhas mãos. A febre do acasalamento tinha vindo de forma tão abrupta e tão intensa que eu não tinha sido capaz de impedi-la e não havia como domá-la. Eu tinha matado três membros da Colmeias sem sequer pestanejar, mas quando terminei, vi Sarah de pé e soube que tinha de tê-la. A fera dentro de mim queria-a com uma intensidade que chegava a ser dolorosa. Eu queria atirá-la para cima de uma das caixas de mantimentos e fodê-la, preenchê-la uma e outra vez com o meu sêmen, minha fera dizia-me que Sarah lhe pertencia. Mas aqui e agora não. E não numa nave-prisão da Colmeia.

Eu nem sequer podia fodê-la agora. Sarah sabia que eu precisava de algo, e o beijo ajudou. Só de poder tocá-la, sentir que ela estava ali comigo aliviou aquela necessidade gritante. Se ela não me tivesse acalmado, beijado, eu teria sido incapaz de impedir que o monstro assumisse o controle.

A minha respiração tinha acalmado, o meu ritmo cardíaco baixado. Eu podia estar perto da Sarah sem o risco de a machucar. A minha mente limpa da névoa vermelha do desejo. Foi só lamber o sabor dela dos meus lábios e eu fiquei mais calmo. Era temporário, mas nós ficaríamos nesta nave maldita por pouco tempo. Nós não iríamos demorar.

Enquanto eu saía pelo quinto andar, voltei-me para Sarah. Ela acenou e nós entramos. Nós não nos falamos, nós nem tivemos de compartilhar comandos um com o outro. Sabíamos exatamente o que precisávamos fazer, confiar um no outro.

Havia três grupos da Colmeia, facilmente exterminados. Embora os sensores de vida provavelmente nos tenham captado nos seus monitores, nós não iríamos ficar por muito tempo. Sarah encontrou o painel de controle e desativou as portas das celas de detenção.

— Seth! — ela gritou, caminhando pelo corredor central à procura dele.

Cerca de uma dúzia de homens saíram das várias celas de detenção, o irmão dela era um deles. Os homens pareciam estar cansados, mas bem. Vivos. Inteiros.

— Estão todos aqui? — Perguntei. Um homem olhou em redor, contou as cabeças, depois, acenou.

— Há alguém muito ferido para sair daqui?

— Não. Estamos todos prontos. — falou Seth e eu assenti. Ainda bem.

— Eles iam começar a transformar-nos assim que chegássemos à CI. Não tocaram em nenhum de nós.

Eu estava aliviado por eles terem se desviado dos verdadeiros horrores da Colmeia.

Enquanto Seth abraçava Sarah, eu ordenei que os outros homens recolhessem as armas da Colmeia e que se armassem para a nossa extração.

— O que raios estás fazendo com *ele*? — Perguntou Seth, olhando para mim. Felizmente ele ainda não estava armado.

Sarah olhou para o chão e, depois, para mim. — Estou acasalada com ele.

Seth agarrou uma pistola de íons de um dos outros soldados e avançou na minha direção. — Você se acasalou com ela? Está gozando comigo? Você apareceu no meio de um combate e fez com que eu fosse levado pela Colmeia! E agora... — ele passou uma mão pelo seu cabelo, o cabelo dele tinha o mesmo tom que o da irmã — você arrasta Sarah novamente para um território perigoso, para uma maldita nave-prisão da Colmeia? É um idiota ou só estúpido?

Senti a ponta da arma contra o meu peito e não culpei o homem. Ele tinha sido transportado para fora do combate antes que eu pudesse dizer qualquer outra coisa além de *Minha*. Ele não tinha ouvido que ela era a minha parceira, que eu a tinha tomado. Ele não sabia nada sobre o fato de que eu tinha inadvertidamente fodido com a última missão deles.

— Seth, deixe-o em paz. A decisão de te resgatar foi minha, não dele. Ele veio comigo para me proteger.

Seth balançu a cabeça e olhou para a sua irmã. — Está de brincadeira comigo?

— Se está tão preocupado com a segurança de Sarah, vamos discutir sobre isto quando estivermos novamente na nave Karter. — disse eu. — Mas a tua raiva terá de ser direcionada a mim, não para Sarah. Não vai levantar o teu tom de voz com a minha parceira novamente.

Ele respirou fundo e deixou sair o ar, mas respondeu com os dentes cerrados: — Concordo.

Acenando uma vez, sabendo que a única coisa que tínhamos em comum era a vontade de manter Sarah em segurança, toquei na unidade de comunicação da minha camisa. — Nave de Combate Karter. Respondam.

Houve um silêncio. Repeti a chamada. Os homens olharam uns para os outros, todos nervosos de uma só vez. Se eu tivesse sido capturado pela Colmeia e resgatado, eu também estaria nervoso, aterrorizado, até que estivesse em segurança a bordo da nave da Aliança.

— *Sala de transporte responde. Continue.*

Os homens, então, relaxaram, tentativas de sorriso se formaram nos seus rostos sabendo que em breve estariam fora dali.

— Vocês têm as nossas coordenadas, podem rastrear os restantes quatorze membros da Aliança. Transportem.

— *A tempestade magnética que afetou seu transporte anteriormente mudou. Não haverá transporte. Repito, não haverá transporte.*

— Quanto tempo temos? — Perguntei.

Os homens olharam ao redor, claramente com medo do que a Colmeia faria assim que aparecessem. A nave não tinha sido invadida por eles; era uma nave-prisão e os que iriam combater contra os inimigos estavam, até agora, todos atrás das grades. Não era necessário um enorme grupo da Colmeia.

— *Desconhecido. Permaneçam no lugar até entrarmos em contato. Desligo.*

— Alternativas? — Sarah falou assim que a ligação foi cortada.

Os homens pensaram e disseram várias opções, mas nenhuma nos tirava daquela nave.

— Nós podíamos voar para fora.— disse Seth.

— Voar? Esta nave é muito grande. Além disso — acrescentei —, se nos aproximarmos minimamente da nave da Aliança, eles atirariam contra nós até sairmos do espaço.

Um dos soldados ofereceu um desafio razoável.

— Cada nave da Colmeia tem um convés de voo com caças do esquadrão da Colmeia operacionais. Podemos utilizar um deles. — acrescentou outro.

— Ainda assim, seríamos feitos em pedaços se nos deparássemos com uma aeronave hostil.— acrescentei.

— Não se passássemos pela interferência magnética, entrássemos em contato com a nave Karter e nos transportássemos a partir dali. — disse Seth.

Olhei para Sarah, que ouvia atentamente. — Eu não consigo pilotar um caça da Colmeia. Alguém consegue?

Os homens negaram com suas cabeças, mas Seth olhou para Sarah e fez uma careta. — Sarah consegue.

Os meus olhos se arregalaram, completamente alheio a esta capacidade dela. Ela conseguia atirar, lutar, planejar estratégias, *voar*. O que mais ela conseguia fazer?

— Eu não consigo voar num destes!

Seth colocou os braços em volta dos ombros de Sarah. — É tal como o C-130.

Eu não fazia a mínima ideia do que era um C-130, portanto, tinha que presumir que era uma nave da Terra.

— Isto não se parece minimamente com aquilo. — rebateu Sarah. — Essa é uma nave de mantimentos. Com asas e lemes.

— Você é um piloto? — Perguntei.

Seth sorriu, completamente confiante nas capacidades da sua irmã. — Ela pode fazer qualquer coisa voar. Você é o parceiro dela, não devia saber isso?

Sarah bateu no braço dele. — Ele me conhece há menos de dois dias. Para com isso.

Seth lançou-me um olhar sombrio, mas falou com um dos homens dele: — Meers, onde é que fica o convés de voo?

O recruta, cujo uniforme só continha uma barra nas mangas, endireitou os seus ombros e respondeu: — Segundo piso, na extremidade da popa da nave.

— Nós vamos até lá, buscamos a nave. Se você não a conseguir pilotar, não estamos pior do que aqui no meio da prisão. — Seth olhou para os seus homens, depois, para mim. — Warlord, você é o que tem o posto mais alto aqui.

— Eu já não sou um membro da frota da Aliança. — respondi.

— Foi expulso, é?

— Seth, deixa Dax em paz, porra. Se não calar a merda da tua boca agora eu te deixo aqui. Entendeu? Ele é meu. E eu vou ficar com ele. Aceite isso.

Sarah me defendeu. De Seth. Tudo isto, tudo o que tínhamos feito desde o primeiro momento em que eu a vi, tinha sido sobre resgatar o precioso Seth dela. Ela só se emparelhou comigo para poder cumprir essa tarefa. Assim que saíssemos desta nave-prisão, eu teria completado o meu compromisso com ela. Presumi que ela me viraria as costas e quereria ajudar o irmão a cumprir o resto do seu tempo no serviço. Ao invés disso, ela estava defendendo-*me dele*. Ela amava o seu irmão. Será que ela agora também se importava comigo? Aquela ideia fez o meu ego inflar, é claro, mas também me fez *sentir* algo que ia além da fera dentro de mim a gritar *Minha*. Era o meu coração, a minha alma que mantinha uma esperança. Não de ter uma parceira para foder e acabar com a minha febre de acasalamento, mas de ter uma parceira porque nós queríamos verdadeiramente ficar juntos.

Seth olhou para mim como se preferisse comer parafusos de titânio, mas lançou à sua irmã um aceno feroz. — Dax, você tem experiência e habilidades como Warlord. Precisamos da tua ajuda.

Olhei para o irmão dele por um momento. Eu tinha que admirar a capacidade dele de engolir sapos quando era necessário. — Eu não desejo colocar a minha parceira em perigo nem por um minuto além do necessário; no entanto, permanecer aqui não é uma opção sábia. Voar para fora daqui é válido, desde que Sarah consiga pilotar a nave.

Os olhos do Seth se arregalaram ao ouvir o termo parceira, embora lhe tivéssemos dito, e Sarah levantou os seus braços para que ele pudesse ver as algemas que estavam nos pulsos dela. — Eu te disse. — Ela lançou-lhe um pequeno sorriso e ele simplesmente revirou os olhos. — Então, vamos. — disse Sarah, respirando fundo.

Eu puxei Sarah para junto de mim e sussurrei no seu ouvido: — Tem certeza disto?

— Está duvidando de mim agora? — As sobrancelhas dela subiram.

— É claro que não. Estou questionando o plano do teu irmão. Se você acha que não conseguimos, podemos pensar numa alternativa.

Ela colocou muita pressão sobre si mesma e, obviamente, o irmão dela também só veio a acrescentar stress. Eu tinha lhe mostrado que ela podia compartilhar esse fardo – mesmo que fosse dar palmadas nela – e eu não queria perder o progresso que tinha feito, a confiança que eu tinha começado a conquistar por pressioná-la demais agora.

— Eu pilotei quando estava no exército, no exército da Terra. Mas aviões e naves espaciais não são minimamente parecidos. Eu não era uma astronauta, mas tenho treze homens pra tirar desta nave. Eu passei por algumas simulações básicas durante a formação da Aliança. Hei de descobrir, ou morrerei tentando.

— Você não vai morrer. Nós vamos encontrar uma alternativa. — repeti. Tal como ela tinha dito, havia outros treze homens nesta equipe desorganizada. Nós poderíamos pensar em outra forma ou poderíamos manter a Colmeia longe até que o transporte fosse possível.

Ela balançou a cabeça e olhou-me nos olhos. — Não, Dax. Eu consigo fazer isto. Eu consigo tirar-nos desta nave. Confie em mim.

Antes que eu pudesse continuar a discutir, ela começou a emitir ordens. — Três de vocês vão adiante, três de vocês levem-nos aos seis. Pistolas de íons prontas para matar. Vamos nos focar e sair daqui.

Os homens entraram em ação, ansiosos por sair desta nave, com a total confiança em Sarah.

Nós seguimos Meers e os caras até o convés de voo. Encontramos um grupo da Colmeia, mas conseguimos abatê-los rapidamente.

Havia duas naves idênticas no convés e Seth levou-nos até a mais próxima.

— Dax, Seth, mantenham a Colmeia longe de nós enquanto eu descubro como pilotar esta lata velha. — disse Sarah.

Seth sorriu ao ouvir o termo terrestre – eu não fazia a mínima ideia do que era uma lata velha – e começou a disparar ordens. Eu não ia cumprir as ordens de Seth, mas, ao invés disso, segui Sarah. Ela era a minha responsabilidade. Eu iria protegê-la ou, como ela disse, morreria tentando. É claro, Seth provavelmente sabia que eu não ia fazer nada além de proteger a minha parceira e não me deu ordens.

Nós estávamos a meio caminho da rampa de embarque quando a primeira detonação do sonar atirou-nos ao chão. Com os ouvidos zumbindo, levantei-me imediatamente, rugindo em desafio. Três membros da Colmeia estavam no lado oposto da plataforma de lançamento, outro conjunto de cargas sonares a seus pés. As armas criaram um raio de explosão pequeno e contido que incapacitaria a nave ou enfraqueceria o casco até que não fosse mais seguro voar.

Eu carreguei-as, atirando com a minha pistola de íons para abater o primeiro antes que eu chegasse até eles. O segundo desabou quando eu me aproximei, e eu olhei para trás de mim para dar de cara com Seth de joelhos dando-me cobertura. O terceiro membro da Colmeia carregou calmamente uma explosão de sonar enquanto eu me aproximava, como se nada existisse além da sua missão, do seu desejo de atirar a sua arma contra a nossa nave.

Eu me perguntava o que passava pela sua cabeça quando curvei a sua cabeça para o lado, quando o pescoço dele foi partido. Eu teria continuado, arrancando a sua cabeça dos seus ombros, mas Sarah gritava para que todos subíssemos a bordo e Seth e eu éramos os últimos a permanecer fora da nave.

— Vamos lá, Warlord. Vamos embora! — Seth gritou comigo, disparando através da doca de lançamento para outro trio da Colmeia que entrou do outro lado da área. Eu não tinha tempo de atirar contra eles e voltar para a nave, portanto, juntei-me a Seth e nos apressamos a subir a bordo da nave, fechando as portas de lançamento por trás de nós.

Os homens caíram pelo corredor, a energia deles se esgotou pela fuga e pela pequena luta. Localizei Meers. — Onde está Sarah

— No lugar do piloto. — Ele levantou a mão e apontou na direção que a minha parceira tinha ido. Tanto Seth quanto eu corremos até lá.

Encontramos Sarah olhando sobre os controles no cockpit. Ela estava afivelada no assento do piloto, com um olhar de concentração feroz no seu rosto.

— Então? — Perguntei. Para mim parecia igual a qualquer outra placa de controle, mas eu não passava de um combatente de solo.

— Os controles são comuns, parecem mais com um jogo de vídeo do que com um cockpit.

Eu não entendi metade do que ela disse, mas soava promissor. Virando no lugar do piloto, ela mexeu na coluna de direção em forma de U e nos estranhos pedais.

— Não há nenhuma chave para começar a sequência de ignição — Ela apertou um monte de botões até os visores se acenderem.

— Consegue pilotar isto? — Perguntei.

Ela continuou a mexer nas telas, girando alguns interruptores, depois, respirou fundo quando a sensação bastante poderosa dos motores começou a ganhar vida vibrando sob nós.

— Apertem os cintos! — ela gritou para que os que estivessem ao fundo do corredor pudessem ouvi-la.

Eu olhei para trás, mas não vi ninguém. Certamente os homens já saberiam que era apertar os cintos, pois, as vibrações dos sistemas da nave eram poderosas e ribombavam pelo chão.

Eu fiz conforme ela disse, apertando o cinto sobre os meus ombros enquanto Sarah murmurava para si mesma, um canto estranho e repetitivo que eu não reconhecia. — O que está fazendo? — Perguntei.

— Rezando. — ela respondeu.

Aquilo não me fazia sentir melhor, mas eu não tinha outra alternativa senão confiar nas capacidades dela. Eu tinha de confiar que quando ela dizia que conseguia pilotar esta nave, ela conseguiria. Eu tinha de me libertar e depositar a minha fé e a minha confiança em Sarah. Ela agora estava no controle. Tudo no meu corpo gritava para assumir o controle, atirá-la sobre o meu ombro e arrastá-la para fora daqui. Mas aquilo era a fera Atlan primitiva enfurecendo-se dentro de mim, não o homem racional que se sentava ao lado dela. Um macho Atlan nunca abdicava do controle em situações perigosas. Nunca. E comecei a compreender o que ela me tinha dado, a profundidade da confiança que ela me tinha concedido ao ir contra a sua própria natureza, ao entregar-me o seu corpo. Sentar-me impotente e incapaz ao lado dela era uma das coisas mais difíceis que eu já tinha tido de fazer.

Explosões de íons atingiram a janela do piloto em rajadas de chamas brancas que queimaram o vidro.

— Colmeia às quatro horas. — disse Sarah.

— O quê? — Perguntei.

Ela apontou sobre o meu ombro e eu percebi que era um conceito da Terra. Não era o tempo de verdade, mas... enfim.

— Dois grupos da Colmeia estão aqui. — gritou Seth enquanto enfiava a cabeça dentro do cockpit.

Outra explosão atingiu a janela livre. — Não me diga,

Sherlock. — disse Sarah, a voz dela estava tensa, seus olhos estavam postos na tela. — Eles estão tentando sobrecarregar a rede elétrica, desativar a nave.

Um painel entrou em curto-circuito à esquerda de Sarah, portanto, ela foi até lá e desligou-o.

— Abaixe-se para eu conseguir tirar-nos daqui! — ela gritou, o nível de ansiedade dela claramente subindo.

Uma explosão sacudiu a nave com tanta força que senti como se os meus dentes me sacudissem literalmente fora do crânio.

— Detonadores de sonar também. — Seth disse palavrões enquanto outra explosão ativou diversas luzes de aviso no assento do piloto. A explosão de ondas sonoras iria agitar a nossa nave antes mesmo de podermos descolar.

— É por isso que lutar no solo é muito melhor. — Procurei os controles de explosão de íons que armariam as armas montadas nas laterais e na frente da nave. Eu não fazia a mínima ideia de para onde olhava. Senti-me incapaz e minha fera não gostava da sensação. Os meus músculos começaram a estalar, abrindo-se e crescendo à medida em que eu lutava para manter o controle.

Sarah deve ter percebido a minha luta porque ela me chamou, a voz dela era como uma rocha firme. — Dax, estamos bem. Não pode entrar em modo *berserker* aqui, não há espaço suficiente para isso. Portanto, diga a esse monstrinho aí que ele vai ter de esperar.

— Jesus. Isto é um grande desastre. — Seth colocou-se ao meu lado e apertou vários botões, as armas no topo da nave atiraram na direção geral da Colmeia.

Outra explosão de íons e eu conseguia sentir o cheiro de circuitos queimando. O rugido da carga de outra explosão sonar atingiu-nos, depois, ouviu-se um estalo. Um alarme de aviso foi disparado e eu tentei entender como desligá-lo.

— Sarah, tire-nos daqui, caralho. — gritou Seth.

— Seth, desaparece da minha frente.— Sarah rangeu os dentes. — Ainda bem que a Colmeia não te matou, porque quando voltarmos à base, eu é que vou te matar.

Ela mexeu em mais alguns botões, depois, assobiou e colocou a mão na cintura.

— Preparem-se para ir em...

Ela apertou o botão amarelo. As portas da baía abriram, o espaço além.

— Meu bom Jesus, as portas abriram. — ela murmurou.

— Três.

O comando da direção foi puxado facilmente para trás pelas mãos dela.

— Dois.

Os joelhos dela se moviam à medida em que os pedais no chão se moviam e balançavam a nave de um lado para o outro. Ela encontrou o equilíbrio certo para os seus pés e a nave ficou nivelada, flutuando do chão na doca de lançamento, pronta para acelerar.

— Um.

Ela empurrou para frente a coluna de direção e a nave disparou para fora da nave-prisão com o foguete que era. Eu fui pressionado contra o meu lugar pela força dos propulsores, aliviado por estar fora de lá. Sarah, no entanto, disse palavrões como se fosse a pior briguenta Atlan que eu já tinha visto, os movimentos dela eram bruscos e afetados, como se ela lutasse para manter o controle.

— Sarah, já pode se acalmar, já estamos fora do alcance de fogo da nave.

— Eu estou calma. — ela respondeu, as palavras dela

foram entrecortadas. Eu sentia o cheiro de sangue no ar e procurei por ela, mas ela afastou-me. — Me dê um minuto. Ainda não terminei.

— Você está ferida.

Ela encolheu os ombros. — É só um arranhão, Dax. Deixe-me em paz. Nós não estamos a salvo ainda. Fale comigo, Seth.

Seth sentou-se numa estação de localização por trás dela, os olhos dele procuravam por naves inimigas que pudessem seguir-nos. — Parece tudo limpo. Não vejo ninguém atrás de nós.

— Graças a Deus. — Ela sentou-se em silêncio, com suor escorrendo pelas têmporas e as mãos tremendo enquanto pilotava a nave novamente em direção ao espaço da Aliança. O campo magnético estremeceu e sacudiu a nave durante vários minutos e o visor da estação de rastreamento ficou num verde sólido.

Seth inclinou-se para trás no seu lugar e lançou um punho no ar. — Sim. Estamos escondidos pelo campo magnético. Eles não têm como nos rastrear, mana! Caramba! Você conseguiu!

— Ótimo. Dax, pode assumir os controles. Simplesmente mantenha no lugar até... Até estarmos...— A mão dela caiu dos comandos de direção e ela agarrou a cintura dela, dobrando-a com um gemido. — A salvo. Até estarmos a salvo.

Ao invés de olhar para o espaço, foquei toda a minha atenção em Sarah. — Ainda consigo sentir o odor do teu sangue, parceira. E você está suando como se eu tivesse te fodido durante horas.

Seth murmurou algo sobre esconder um corpo ao ouvir o comentário, mas eu ignorei-o.

Sarah fez uma careta, mas não discutiu. Alguma coisa não estava bem. A pele dela estava pálida. Muito pálida, e a respiração dela estava fraca, os olhos estavam vidrados enquanto ela olhava para mim sem me ver.

Retirei o meu cinto e virei-me para ela. Ela piscou os olhos algumas vezes e olhou na minha direção, mas eu sabia que ela já não estava processando o que via.

— Só um arranhão, Sarah? Você mentiu para mim? — Movendo-me lentamente, ajoelhei-me ao lado dela e olhei atentamente para a lateral dela pela primeira vez. Eu queria dar-lhe palmadas e abraçá-la ao mesmo tempo no momento em que a olhei. Sangue cobria a armadura dela e pingava no chão a partir de um grande pedaço de metal que saía da armadura dela. O metal deve ter perfurado uma costela, provavelmente, o pulmão. — Sua fêmea teimosa. Está sangrando muito.

Ela olhou para baixo para a sua lateral, colocando uma mão ao lado do pedaço de metal. — Está tudo bem, Dax. Agora está melhor. Já não dói. — Ela sorriu como uma menininha, tolinha e livre de preocupações e eu soube que estava muito pior do que eu imaginava.

— Seth, assuma os controles. Agora! Meers! — Eu gritei para o corredor, tirando o cinto dela. Caramba, ela estava gravemente ferida e tinha mentido sobre isso. Ela sangrava muito e ainda pilotava a nave da Colmeia. Sacrificando-se para nos dar mais tempo. Morrendo por estes homens. Por mim.

— Pare de gritar comigo.— ela respondeu, repousando a sua cabeça contra o assento do piloto.

— Você mentiu. — Eu estava frenético e minha fera estava furiosa. Não de carência, mas de medo. Ela estava ansiosa, preocupada com a nossa parceira. Ela andava dentro de mim, alternando entre choramingar e rugir para se libertar, para partir esta nave ao meio e a todos nela, desfazendo tudo em pedacinhos.

— Tinha de te tirar de lá.

— Você é a mulher mais teimosa, difícil, irritante e frustrante que eu já encontrei. Devia ter me dito o quão ferida estava. Quando é que isto aconteceu, Sarah? Quando?

— O detonador de sonar, quando estávamos correndo para a nave. — ela respirou. — Mas agora está tudo melhor. Já não dói. — ela repetiu, com a sua mão no meu antebraço. Ela deixou uma marca ensanguentada. Se não doía, isso significava...

— Sarah, você não vai me deixar. — sussurrei a ordem e pressionei os meus lábios junto aos dela enquanto Meers corria para dentro da pequena sala.

— Sim, Warlord? — Meers enfiou a sua cabeça dentro do cockpit enquanto eu colocava Sarah nos meus braços. Seth escorregou para o assento do piloto, certificando-se que mantinha o controle exatamente onde Sarah o tinha colocado.

— Sarah está gravemente ferida. Põe a equipe de transporte do Karter nas comunicações e tira-nos desta maldita nave. *Agora.* Se ela morrer, todos vocês morrem com ela. — A ameaça não era em vão. Se eu a perdesse antes de voltarmos para a nave de guerra, a fera rasgaria todos os seres vivos a bordo desta nave em pequenos pedaços, e não haveria nada que eu pudesse fazer para detê-la.

———

— MALDITA MISSÃO SUICIDA. A capitã pôs as vossas vidas em perigo com o seu comportamento imprudente. — disse o comandante da nave.

— Ela salvou doze combatentes da Aliança das mãos da Colmeia e arranjou os comunicadores da Colmeia da nave que ela roubou. — Endireitei-me colocando-me de pé, colocando-me perante o guerreiro Prillon que ousou insultar a minha parceira ferida. — Mais de um homem nesta nave deve-lhe a vida.

O comandante cruzou os braços e balançou a cabeça. — Eu sei. Eu levo os homens e os comunicadores. — O comandante murmurou as suas últimas palavras sob o seu fôlego, mas eu tinha um ouvido Atlan, e a fera não perdeu nada. — O que não significa que não tenha sido imprudente.

Se eu não estivesse guardando o corpo da minha parceira inconsciente, teria levado aquilo a peito, teria batido na maldita cara dele. Eu estava ficando realmente farto de comandantes irritantes. Primeiro, o meu, que me tinha empurrado para o programa de emparelhamento para que eu não morresse, depois, o de Sarah, que tinha se recusado a ajudá-la a encontrar Seth. Agora, este aqui. Fiquei ao lado da cápsula de emergência de Sarah, vendo enquanto os médicos passavam as suas varinhas sobre as feridas dela. Eu sabia que a tecnologia desta nave iria curá-la rapidamente, mas a minha fera não se importava com a lógica ou com a razão. Debati-me com cada respiração para manter aquele lado mais obscuro sob controle, pois minha parceira tinha ficado gravemente ferida e não havia nada que eu pudesse fazer. Os médicos, sim, mas eu? Eu não a podia proteger neste momento. Agora, eu tinha que ficar parado enquanto ela era curada pelos sistemas de controle médico.

Seth e os seus homens tinham consertado as comunicações e conseguido transportar-nos para uma nave diferente, não a nave Karter, uma que não estava na linha direta do campo magnético. Tudo tinha acontecido em cinco minutos, os homens tinham sido competentes em obter assistência, mas tinha sido assim durante toda a minha vida. Na frota da Aliança, tudo tinha uma razão e um propósito. As coisas faziam sentido. As ordens eram dadas e seguidas. Cada guerreiro era forte e sabia exatamente o que esperar. Nós esperávamos lutar, sangrar, morrer. Cada guerreiro sabia qual era o seu papel, assim como a minha Sarah.

Eu olhei para a minha parceira e ela parecia tão frágil deitada ali, tão fraca e, definitivamente, não imortal. Ela não era uma fêmea feroz de uma das raças guerreiras. Não, ela era só uma mulher delicada da Terra que era a minha parceira, o meu coração, a minha vida. Não me importava o fato de ela agora ser uma guerreira, tão hábil que podia organizar um ataque terrestre ou pilotar uma nave inimiga através de um campo magnético. Ela era mais corajosa do que qualquer pessoa que eu conheci, mais inteligente do que qualquer estrategista militar e, ainda assim, o seu corpo era tão frágil. Eu ansiava mesmo por tomá-la nos meus braços e carregá-la para fora deste lugar, para longe dos homens, do barulho, do perigo constante de um ataque inimigo. Durante anos, nada disso me importou, eu encarei aquilo como sendo o meu dever. Nós estávamos em guerra contra a Colmeia, tínhamos estado em guerra contra eles desde antes do meu nascimento, e, provavelmente, continu-aríamos em guerra muito depois de eu partir. E, ainda assim, eu não queria que nada disso afetasse Sarah. Não mais. Ela era muito bonita, muito perfeita para a feiúra que a rodeava neste momento.

Eu aprendi naqueles cinco minutos que não era nem um

pouco forte como tinha acreditado que era. Os músculos não me protegiam de um coração partido por quase perder Sarah. Onde eu era fraco, ela era forte. Os seus dois irmãos e o seu pai tinham morrido, o último membro da família vivo tinha sido transportado pelo inimigo diante dos seus olhos. A resposta dela tinha sido a sua determinação em resgatar Seth. O amor dela, uma vez dado, era implacável na sua força, corajoso e cheio de esperança teimosa. O amor dela era a única coisa que eu queria desesperadamente, e ela guardava tão bem o seu coração.

Levei aqueles cinco minutos para perceber que nós éramos aquele casal que tinha que se comprometer. Ela deu, deu e eu tirei. Estava na hora de eu lhe dar também, de a deixar ser ela própria, de não a obrigar a ser a mulher fraca que o comandante a tinha feito parecer, e, sem dúvida, que eu primeiramente pensei que ela era.

Eu queria alcançá-la e tocá-la, sentir a sua pele para garantir que ainda estivesse quente, sentir o seu pulso, vê-la respirar, mas o médico já tinha me empurrado para fora do caminho com frequência suficiente. Quando ameacei arrancar-lhe os braços se ele me mandasse sair do centro médico, ele permitiu-me ficar desde que eu não me metesse no seu caminho. Foi um compromisso razoável, mas eu não tirei os olhos dela.

Queria dar-lhe palmadas naquele traseiro até ela ficar num tom de rosa vivo por ter se machucado, mas ela não tinha feito nada imprudente para o justificar. Não a queria em nenhum tipo de perigo, mas estava ao lado dela quando isso aconteceu. Não havia como eu protegê-la, protegê-la da quebra do controle ou do pedaço daquele controle agora embutido na sua lateral. Para além de a amarrar à minha cama, não havia nenhuma forma de protegê-la completamente do perigo. Embora eu fosse garantir que ela passasse o seu tempo amarrada, ela acabaria por detestar estar presa e detestar a mim. Ela não podia ser impedida da paixão dela, da luta dela, tanto quanto eu não podia. Ela era uma guerreira e não havia nada que eu pudesse fazer para mudar seu coração. Era uma lição dura que eu estava aprendendo, e, infelizmente, tinha sido preciso que ela se ferisse gravemente para que eu percebesse isso.

Como é que eu iria controlar o monstro dentro de mim enquanto ela se colocava em perigo, isso eu não sabia. O doutor tinha verificado a tela e moveu-se para o lado oposto dela. — Eu ouvi dizer que a capitã salvou o dia.

Procurei no rosto dele por falsidade, mas não encontrei.

— Ela pilotou uma nave inimiga danificada para fora de uma nave-prisão da Colmeia, fugiu de uma tríade de caças de reconhecimento da Colmeia e trouxe-nos em segurança através de um campo magnético. Não foi imprudente, foi um resgate.

— Concordo com Warlord. — Seth juntou-se a mim ao lado de Sarah e olhou com o maxilar cerrado enquanto cuidavam dela. — E outros onze homens resgatados cujas vidas foram salvas também concordam.

— Ela vai ficar bem. — disse o doutor a Seth. Ele já tinha conhecido o irmão dela, mas Seth tinha sido enviado para interrogatório e finalmente tinha voltado. — Um estado de sono vai ajudá-la a curar a ferida da perfuração. O computador diz que mais umas duas horas e ela deverá acordar. Nesse tempo, farei um exame médico completo para garantir que ela está completamente recuperada, mas não tenho preocupações.

Seth lançou um último olhar para a sua irmã, claramente satisfeito com o seu estado e virou-se para o cabeça da nave para a qual fomos transportados.

— Comandante, com todo o respeito.— disse Seth. Ele virou-se para o líder Prillon como o capitão que era. Orgulhoso e alto. — Todos os líderes da Aliança escolheram deixar a mim e aos outros para morrer. Eu seria um soldado da Colmeia agora se não fosse por ela. Portanto, você pode ir se foder se pretende levá-la ao tribunal militar. Ela teve que lidar com as palhaçadas do comando, depois, lidar com este grande monstro e também cuidar de mim. Ela é a *Mulher Maravilha*.

Franzi a testa e o comandante também. — Quem?

Seth revirou os olhos. — Uma mulher que consegue fazer tudo.

Tentei esconder o meu sorriso, tentei mesmo, porque ele tinha descrito Sarah perfeitamente. Eu também não sabia quem era a *Mulher Maravilha*, mas ela era a *minha Mulher Maravilha*. Eu tinha odiado Seth no início por ter sido o motivo pelo qual Sarah teve que se colocar novamente em perigo, mas começava a gostar dele um pouco mais a cada minuto que passava.

— Capitão Mills. — respondeu o comandante, as palavras dele foram ditas entre dentes cerrados.

— Comandante.

— Não posso castigar a sua irmã porque ela já não faz parte do exército da Aliança. Ela é a parceira *dele* e creio que isso já seja castigo suficiente.

Ofendia-me, mas eu ficava feliz por estar preso à minha pequena parceira humana. Eu só tinha que esperar duas horas até que ela acordasse.

— E quanto a ti...— o comandante avançou, mas Seth não recuou. Os dois homens ficaram praticamente cara a cara. Embora Sarah não pudesse ser castigada pela Aliança, Seth podia ser destituído do seu comando e obrigado a trabalhos forçados durante o resto do seu tempo de serviço. A decisão era do comandante. Seth tinha merecido um castigo só por insubordinação. — Dispensado.

Seth cumprimentou-o e saiu.

— Quanto a *você* — o comandante virou-se para mim —, assim que ela estiver curada, tire a sua parceira daqui. Pare de me provocar com o que eu não posso ter.

Ele deu meia-volta e saiu passando pelo médico, que tinha voltado para ver Sarah.

Eu sorri ao olhar para a minha parceira. As máquinas dela tinham um bip constante, elas apitavam e o médico estava calmo e satisfeito com a resposta dela ao tratamento. Eu quase perdi o controle quando ela desmaiou nos controles da nave, sem saber o que fazer. Pela primeira vez na minha vida, eu não estava no controle. Eu não tinha maneira de a salvar. Os músculos não o fariam. A força não fez nada. Arrancar a cabeça de alguém não era uma solução.

E, por isso, fui obrigado a esperar. Assim que ela estivesse curada, ia lhe dar palmadas por me assustar tanto. Depois, eu lhe daria prazer porque adorava vê-la gozar sobre os meus dedos e pau.

10

Abri os olhos e vi Dax olhando para mim. Pestanejei uma vez, depois duas, tentando lembrar-me de quando tinha adormecido. Eu estava descansada e confortável, no entanto, sentia-me como se tivesse perdido alguma coisa.

— Sente-se melhor? — ele perguntou, um grande V formou-se nas suas sobrancelhas.

— Sinto-me... oh! — Então, me sentei, quase batendo cabeça com ele.

Eu estava numa unidade médica com várias camas e pacientes inconscientes. Usava uma bata não muito diferente das que era usada por um hospital na Terra. Tudo voltou à minha mente: o resgate da prisão, a nave, a dor na minha lateral e a peça de metal.

Coloquei as minhas mãos no meu lado e vi que não

havia nenhum estilhaço perfurando a minha pele – ou, pelo menos, a bata – e não havia sangue. Também já não doía.

— Está completamente curada. — ele murmurou, depois, tirou o meu cabelo do meu rosto. Estava solto ao longo das minhas costas.

— Se é assim que a medicina do espaço funciona, eu gosto. — comentei, apertando contra o local onde eu tinha sentido a queimadura ardente daquele furo. Se eu estivesse na Terra, ou estaria morta ou precisaria de semanas para me curar. — Quanto tempo estive apagada?

— Duas horas na unidade médica, mais cinco minutos inconsciente nos meus braços enquanto o teu irmão organizava um transporte alternativo.

— Só isso? Uau.

Dax levantou-se até ficar na sua altura máxima e colocou as mãos sobre os quadris. — Só isso? — ele rosnou. Eu conseguia ouvir o barulho no fundo do peito dele. — Parceira, você faz a mínima ideia do que eu passei nesse tempo?

Antes que eu pudesse abrir a boca, o médico apareceu e começou a acenar com uma varinha de condão sobre mim. Ele manteve os olhos na tela, depois se aproximou e apertou um botão na parede atrás de mim.

— Está liberada.

— Estou? — Perguntei, completamente maravilhada por ter sido esfaqueada por uma nave espacial há menos de três horas e, agora, estar bem.

— Está.— ele respondeu. — Totalmente curada e pronta para sair da ala médica.

Balançando as minhas pernas para o lado da cama, saltei, os meus pés descalços pousaram no chão frio.

Alcancei atrás e cobri o meu traseiro que sabia estar destapado.

— Ela está livre para *todas* as atividades, doutor? — Perguntou Dax.

Eu corei, visto que sabia exatamente de que tipos de atividade ele falava.

Ele desobstruiu a sua garganta. — Sim, *todas* as atividades.

Dax curvou-se antes que eu soubesse o que acontecia, o seu ombro foi colocado contra a minha barriga e eu fui atirada sobre o seu ombro. Coloquei as minhas mãos na parte de baixo das suas costas para manter o equilíbrio.

— Dax! — Gritei.

Ele deu meia-volta e praticamente correu em direção à saída.

— O meu traseiro está à mostra! — Eu conseguia sentir o ar frio e sabia que *todo mundo* conseguia ver *tudo*.

Ele parou, agarrou a minha bata e puxou-a, mantendo uma das suas mãos enormes no meu traseiro. Fiquei grata por ele ser possessivo, porque estávamos no corredor antes que eu pudesse pensar em mais alguma coisa.

— Para onde vamos? — Perguntei, vendo o chão mudar de cor de verde para laranja, a única forma que eu podia dizer a partir da minha perspetiva que tínhamos saído da área médica e entrado nos aposentos da nave.

— Para o nosso quarto.

— Espera, e os outros. Eles estão bem? — Perguntei. — Dax, ponha-me no chão. Não consigo falar enquanto olho para o teu traseiro.— Bati-lhe uma vez com os meus punhos.

— Todo mundo está bem.

— E Seth? — Contive a respiração enquanto esperava pela resposta dele.

— Bem.

Cedi, aliviada. — Leve-me até ele. Por favor. — acrescentei.

Dax parou num cruzamento entre dois corredores. — Muito bem.

Ele virou e andou por um longo corredor e chegou até uma porta. Descendo-me, ele envolveu o seu braço ao redor da minha cintura enquanto apertava o botão, que na Terra seria chamado de campainha.

Puxei a bata. — Você podia, pelo menos, ter me deixado mudar de roupa antes de me tirar de lá. É realmente um homem das cavernas.— resmunguei.

— Espere até voltarmos ao nosso quarto. — Ele lançou-me um olhar afiado. — Aí, vai ver realmente como é um homem das cavernas.

A porta se deslizou, abrindo e Seth estava diante de mim, claramente inteiro e bem. Também, claramente irritado com Dax, porque ele podia ter ficado sem saber o que ele ia fazer comigo.

Para evitar os últimos golpes verbais, envolvi Seth num abraço. Era bom abraçá-lo novamente, saber que ele estava seguro e inteiro e... o quê? Eu o amava. Sim. Ele era o meu irmão e eu o admirava, o ouvia e detestava quando ele era mandão. Mas...

Dei um passo atrás depois de o abraçar e olhei para Dax. Ele estava pairando ali – não havia outra palavra para definir o tamanho dele junto à porta – à minha espera. Ele aguentaria o comportamento irritante de Seth porque eu era a sua parceira. Merda, ele parecia fazer *tudo* por mim.

Ele tinha ido até a nave-prisão da Colmeia para resgatar o homem que o detestava porque eu queria que ele o fizesse.

Dax era o meu mandão agora, não Seth. Ele era aquele cujos abraços eu queria. Era aquele com o qual eu me preocupava – não que eu não me preocupasse com Seth, mas *isto*, isto era diferente. *Eu* estava diferente. Eu tinha usado Dax para o meu próprio benefício, para resgatar Seth. Eu tinha feito um acordo com ele e ele tinha cumprido a sua parte.

— Não acredito que se acasalou com este *Hulk*. — murmurou Seth. — Faz a menor ideia de onde se meteu? Desta vez, não consigo te salvar, mana.

A minha boca abriu-se totalmente e olhei fixamente para o meu irmão de olhos arregalados. Então, eles se estreitaram enquanto eu podia jurar que a minha pressão sanguínea subiu ao ponto de eu quase ter um derrame. Aproximei-me dele e empurrei o meu dedo no seu peito.

— Me salvar? Está de gozação comigo? Quando é que você me salvou? — gritei.

Dax entrou no quarto de Seth e a porta se fechou.

Seth, agora, parecia desconfortável, passando a sua mão pelo cabelo. — Do Tommy Jenkins no quinto ano que queria olhar para dentro da tua saia. Do Frankie Grodin quando ele só queria te levar para o baile de colação para poder ser mais uma marca na sua lista de pessoas que ele tinha levado para cama. Daquele sargento que te obrigou a fazer flexões extras.

— Primeiro que tudo, Tommy Jenkins mexeu comigo quando eu tinha dez anos e eu dei-lhe um murro no nariz. Frankie Grodin teve um despertar tenebroso quando Carrie e Lynn tiraram uma foto dele com o pau de fora e enviaram por e-mail para toda a turma do último ano. Quanto ao sargento, ele obrigou-me a fazer aquelas flexões extras porque você continuava aparecendo para ver como eu estava. Quanto a salvar, quem acha que te salvou da Colmeia, irmão mais velho?

Cruzei os braços sobre o peito, sem me importar com o fato de a parte de trás da bata estar aberta e que Dax podia facilmente ver o meu traseiro.

Seth ficou mais e mais corado durante o meu discurso e apontou para Dax. — Ele apareceu no meio daquela luta e fez com que me levassem.

— Sim, mas isso foi um acidente. Qualquer um dos rapazes podia ter sido apanhado. Inferno, você podia ter sido apanhado em qualquer outro combate em que estivemos. Por que raios está chateado com ele sendo que ele foi até lá e te resgatou?

— Porque ele te deixou ir com ele!

— Portanto, ele devia ter ido até lá e te resgatado sozinho?

Agora, estávamos aos gritos um com o outro e quando olhei para Dax, ele estava encostado contra a parede com um sorriso no rosto. Pela primeira vez, ele não ia se intrometer.

— Ele te meteu nessa confusão com toda aquela história do emparelhamento de noivas. — Seth abanou a sua mão no ar como se não soubesse como chamar.

— Portanto, estarmos emparelhados é o motivo pelo qual tudo isto aconteceu? Jesus, Seth, você é um idiota. Se quer culpar alguém, vai atrás da Guardiã Morda, lá em Miami, porque foi ela que me colocou no exame para o programa de noivas ao invés da admissão para Aliança, por engano. Sabe o que mais? Vocês são perfeitos um para o outro.

Balancei a minha cabeça e expirei um fôlego reprimido. Do canto do meu olho, vi Dax enrijecer. Merda, estas palavras provavelmente o chatearam.

Os ombros de Seth caíram. — Eu só quero que você fique segura. Sem Chris e John, essa responsabilidade recai sobre mim.

Neguei com a cabeça. — Não, essa responsabilidade recai sobre Dax.

Caminhei até Dax e envolvi os meus braços ao seu redor, pressionei a minha bochecha contra o seu peito.

— Eu consigo ver o teu traseiro nu, sabia? — Seth resmungou quando olhou para o lado, claramente evitando olhar.

Dax levou a sua mão até o meu traseiro e agarrou os dois lados da bata.

— Agora, eu consigo ver a mão dele no teu traseiro.

— Jesus, Seth. — reclamei, depois, ignorei-o. Diverti-me ao sentir a sensação dura de Dax, o seu cheiro, o batimento do seu coração sob o meu ouvido, até mesmo a sua mão no meu traseiro. — Toda esta confusão me fez ver que eu estava vivendo a minha vida na tua sombra, cumprindo as ordens de papai. Eu até entrei no exército para deixar papai feliz, por tua causa, e por John e Chris.

Ele olhou para mim, completamente surpreso. — O quê? Eu pensei que queria isso.

— O que, ter aulas de karaté aos dez anos enquanto todo mundo estava no ballet? *É por isso* que eu dei um soco em Tommy Jenkins no nariz, porque sabia como dar um bom murro. — Pausei, depois, continuei: — Olha, Seth, eu te amo. Fico feliz por todas essas coisas que fez comigo, com Chris e John, mas eu sempre fiz o que fiz à procura do que *eu* queria.

Seth puxou a sua orelha. — E o que seria?

— Dax.

Senti Dax ficar tenso sob mim, depois, relaxado. Ele virou-me para que as minhas costas estivessem à frente dele e as mãos dele nos meus ombros. Eu já não o conseguia ver, mas eu sabia que ele estava comigo, literalmente. Eu duvidava que ele conhecesse esse termo terrestre, mas o gesto real era revelador.

— Mesmo? — Seth perguntou, meio sem acreditar.

— Mesmo. Eu vou para Atlan quando a febre de acasalamento dele passar.

— Vai? — Ambos perguntaram a mesma coisa ao mesmo tempo.

— Vou. — E ia. Também me sentia bem quanto a isso. — Eu não preciso estar ao teu lado para que saiba que te amo, mas Dax precisa.

Senti um rugido nas minhas costas.

Seth abanou a sua mão enquanto suspirava. — Vai, Sarah. Tudo o que eu sempre quis é que fosse feliz e estivesse segura. Isso é tudo o que todos nós sempre quisemos. Viva feliz para sempre e tenha dez filhos com... — Seth estudou Dax por um minuto, pesando cuidadosamente as suas próximas palavras enquanto eu fechava a minha mão num punho ao meu lado, pronta para dar-lhe um soco na cara se ele insultasse o meu parceiro mais uma vez. — Com este guerreiro muito grande que, sem dúvida, morreria para te proteger. — Seth estendeu a sua mão para Dax, que parecia confuso.

— Morreria. — A promessa profunda e retumbante de Dax fez a minha vagina se comprimir sob a bata e eu tinha ouvido a respiração funda de Dax, inspirando o odor da minha excitação. Ele rosnou, puxando-me mais perto dele.

O meu irmão ficou em silêncio e parado com a sua mão estendida com a sua oferta de paz.

— Aperte a mão dele, Dax. — Puxei a mão de Dax para a frente e coloquei-a na de Seth para que o meu irmão pudesse apertá-la. Sorri, feliz por saber que Seth tinha entendido. Talvez ele também estivesse à procura de uma parceira.

Sorrindo, agitei as sobrancelhas para o meu irmão de uma maneira sugestiva. — Sabe, agora é capitão.

— Eu sei.— O meu irmão largou a mão de Dax e olhou com um ar confuso.

— Pode pedir por uma parceira compatível no Programa Interestelar de Noivas. Ela seria perfeita para ti em todos os sentidos, o teu par perfeito.

Seth desatou a rir e eu sorri, de repente, entusiasmada com a ideia. Seth negou. — Acho que não.

— O que, está com medo de ter uma esposa extraterrestre viscosa e verde? — Balancei a cabeça. — Não vai. Eles te examinam, Seth. Eles ligam o teu cérebro a uns sensores e passam cerimônias de acasalamento dentro da tua cabeça até ficar tão excitado que pensa que vai enlouquecer. Mas eles te combinam com alguém que tem a mesma mente atrevida que você.

Seth olhou para mim e Dax, e, depois, novamente para mim. — Então, você queria um homem grande e assustador, hã?

Dax rosnou para ele em tom de aviso, mas eu atirei a minha cabeça para trás e ri enquanto deixava que a alegria me preenchesse. — Sim. Creio que sim. — Bati na bochecha de Seth e sorri. — Agora, se nos der licença, preciso cuidar do meu alienígena, pois, ele está com febre.

Seth arrepiou-se. — Jesus, mana, eu não preciso saber

essas merdas. INFORMAÇÃO DEMAIS. — Ele foi até a porta e abriu-a. — Vai. Cura-o. Façam o que quiserem, mas não na minha frente.

Dax deu um passo adiante, mais uma vez a mão estendida do meu irmão em oferta de amizade surpreendeu-me. — Eu vou levar a minha parceira para Atlan, Seth. Mas você é bem-vindo em nossa casa a qualquer momento.

Seth olhou para a mão estendida, depois, agarrou no antebraço de Dax num aperto entre guerreiros. — Cuide dela.

— É o que pretendo fazer, começando por lhe dar palmadas por mentir, e depois... bom, depois...

Seth largou o braço de Dax, levantando a sua mão enquanto a minha boca se abria ao ouvir as palavras de Dax. Ele ia fazer o quê?

— Mais uma vez, mano, informação demais. — Seth balançou a cabeça, rindo enquanto eu pestanejava com força, tentando processar o que Dax tinha acabado de dizer.

— Você *não* vai me dar palmadas. — cuspi, com as minhas bochechas ardendo. — Eu salvei a tua vida, Dax. Salvei a nós todos. Se tivesse dito o quão ferida estava, não teria me deixado pilotar. Teria me tirado do lugar de piloto e...

Dax cortou-me a fala. — E encontraria outra pessoa para segurar o raio dos controles para que não sangrasse até a morte. Arriscou a tua vida sem necessidade, Sarah. E mentiu para mim. Eu vou deixar o teu traseiro vermelho para que não volte a acontecer.

— É bom que o faça. — disse Seth, usando aquela cara de proteção fraternal. — Também me assustou muito, Sarah. — Ele acenou para Dax. — Dê-lhe uma palmada extra por mim.

Dax ergueu uma sobrancelha, mas concordou imediatamente. — Feito.— Ele puxou-me para trás e para fora da
porta.

Antes que se fechasse, Seth disse: — Warlord, se você a
machucar, vou atrás de ti e te mato.

Dax esfregou os polegares sobre os meus ombros. —
Não espero menos de ti.

———

Dax

ALGUMAS HORAS depois eu estava na varanda da nossa nova
casa ao lado da minha nova parceira e respirei os odores e as
vistas de Atlan. Há dez longos anos que eu não via as colinas
verdes e douradas, as árvores imponentes com largas folhas
roxas e verdes, as flores de todas as cores que revestiam as
ruas como se fossem a fibra mais delicada, as suas pétalas
transparentes brilhavam sob a luz da nossa estrela como se
fossem um milhão de luzes cintilantes.

Ao meu lado, Sarah parecia encantadora a ponto de
cortar a respiração com um vestido do tecido mais fino que
se podia encontrar neste setor. O dourado clarinho vestia os
seus adoráveis ombros e moldava a parte de cima dos seus
seios. Encaixava-se nas curvas descendo pelos quadris e
caindo numa onda cintilante para oscilar acima dos seus
tornozelos. Eu a abracei e coloquei um pingente enorme ao
redor do seu pescoço, o ouro oblongo gravado, como as
nossas algemas eram, com as marcas da minha linhagem
familiar.

Nós tínhamos chegado através do transporte, ainda

vestidos com a armadura da Aliança, a antiga patente de Sarah como capitã totalmente à vista para o grupo de saudação do Senado de Atlan. Os olhares curiosos começaram de imediato, e eu sabia, mesmo antes da nossa comunicação por mensagens se acender nos aposentos abaixo, a minha noiva já seria uma celebridade por aqui, uma mulher única e intrigante que tinha lutado ao lado do seu parceiro, uma guerreira. Atlan podia nunca se recuperar desse abalo.

Ela apertou o pingente no seu peito e girou num círculo selvagem, rindo. Eu nunca a tinha visto tão leve e despreocupada. — Sinto-me como a Bela, da *Bela e a Fera*.

Eu franzi a testa. — Eu não entendo o que isso significa, parceira.

Ela parou e sorriu para mim. — Não importa. Estou feliz. Nunca me senti assim antes.

— Como o que, por exemplo?

— Bonita. Leve. — Ela girou novamente, vendo a sua saia levantar-se como uma chama ao redor dos seus joelhos. O seu cabelo estava solto, ondas escuras caindo ao redor dos seus ombros. — Sinto-me como se fosse uma princesa. E nós estamos vivendo num castelo. Meu Deus, Dax. Você é rico ou o quê? Este lugar é gigantesco. — Sarah sorriu e atirou os seus braços ao redor do meu pescoço, levantando o seu rosto para me dar um beijo, que eu lhe dei avidamente. Quando ela ficou ofegante e totalmente carente, quando eu consegui sentir o doce odor da sua excitação, coloquei-a de pé novamente e olhei para a mulher que estava prestes a tornar-se minha em todos os sentidos.

— A riqueza é irrelevante aqui. Eu sou um Warlord Atlan e você é a minha parceira.

Agora, foi a vez dela de franzir a testa. — Não entendo.

Tracei a maçã do seu rosto com o meu polegar, simplesmente desfrutando da felicidade dela, da luz despreocupada no seu olhar que eu nunca antes vi. — Não há muitos Atlans voltando da guerra. A maior parte deles é executada quando entram em modo *berserker* em combate. Aqueles que controlam suas feras, aqueles que são fortes o suficiente para voltar, são recompensados com riqueza, terras e castelos. — Gesticulei para a estrutura enorme que nos rodeava. A casa era muito mais do que o que precisávamos, com quase cinquenta quartos e todo um grupo de assistentes Atlan acasalados para cuidar de todas as nossas necessidades. Tracei o seu lábio inferior e o meu pau foi ficando mais duro a cada segundo. — Fico feliz por prover para ti, princesa.

Ela inspecionou-me, que usava as vestes formais de um Warlord aposentado, as linhas apertadas do casaco que não escondiam o meu peito ou os meus ombros maciços, o casaco projetado para exibir as algemas de acasalamento brilhantes que rodeavam os meus pulsos, que me marcavam como pertencendo a ela para sempre. O sorriso dela desvaneceu-se num olhar triste e sombrio que roubou a alegria dos seus olhos.

— O que vamos fazer agora, Dax? Eu não sei o que fazer quando não estou lutando. Sinto-me inútil, como um enfeite colocado junto à lareira deixado ali para ganhar pó. Há homens bons lá fora lutando e morrendo e eu estou rodopiando como uma idiota. Eu não sei como ser esta... — ela gesticulou para o vestido e olhou novamente para mim. — Eu não sou uma princesa, Dax. Não sei como fazer isto, como ficar feliz quando sinto que deveria lutar. Quando ainda há homens bons lá fora morrendo.

— Eles lutam para te dar esta vida. Eles lutam para que outros possam viver vidas plenas, tal como você fez por outros com a Aliança e na Terra. Eu estive muito tempo longe de Atlan. Teremos que descobrir isso juntos.

Arranquei o meu casaco e atirei-o ao chão. A minha camisa foi a seguir. Quando eu estava de peito nu, quando eu a conseguia sentir junto ao meu corpo nu, puxei-a para perto e coloquei o ouvido dela sobre o meu coração pulsante. — Nós não ficaremos ociosos, parceira. O senado vai nos pedir para participar de vários eventos, agir como embaixadores para aqueles que pensam em juntar-se à frota. Seremos entrevistados e questionados por muitos. Seremos consultados quanto a assuntos de política e guerra. Ensinaremos a outros como sobreviver nas batalhas vindouras e teremos filhos, parceira. Eu quero um filho meu crescendo no teu ventre. Quero uma casa cheia de rapazes arruaceiros e de garotas petulantes. Quero ter de me esgueirar sorrateiramente para dentro da despensa para te foder, com as costas voltadas contra a parede e sufocar os teus gritos de prazer com o meu beijo para que as crianças não te ouçam gritar.

Os ombros dela se movimentavam enquanto ela ria. — Você é terrível, Dax.

Desci as minhas mãos pelas costas dela e abri-lhe o vestido, deixando que o tecido suave caísse aos seus pés. Eu sabia o que ela vestia por baixo, um fino tecido que não me impediria de lhe dar palmadas, de a foder e de a tomar.

Então, eu levantei-a, embalando-a nos meus braços e caminhei para dentro do nosso quarto, acomodando-me na lateral da cama com ela no meu colo. Ela ficou quieta e satisfeita, o seu calor, um bálsamo para os meus sentidos. Tê-la aqui, na nossa nova casa, acalmava-me de uma forma que eu nunca imaginei que fosse possível.

E, mesmo assim, ainda havia uma lição para ensinar.

Levantando a cabeça dela com um dedo debaixo do seu queixo, eu a beijei até ela derreter, até a excitação dela encharcar a fina camisa de dormir que ela usava e os mamilos serem picos duros sob as minhas mãos exploradoras.

Quando ela ficou mole e flexível, eu a virei para o lado para que o seu estômago ficasse pressionado contra as minhas coxas, a sua cabeça suspensa e o seu traseiro levantado no ar para levar uma firme palmada.

— Dax! O que está fazendo? — Ela contorceu-se, mas eu a segurei com uma mão forte sobre as suas costas.

— Você mentiu, Sarah. Eu prometi que ia levar umas palmadas. Já se passou muito tempo porque fomos enviados rapidamente para o transporte.

— Dax. Não. Não pode estar falando sério quanto a isso. Eu tive que...

A minha mão firme batendo-lhe no traseiro parou com a discussão dela. Ela gritou, não em dor, mas de raiva e eu bati nela novamente, com mais força desta vez, fazendo a palma da minha mão estalar com a força do meu golpe. — Não, parceira. Não deve mentir para mim. Nunca. Vai sempre falar a verdade. Vai aprender a confiar em mim.

Plaft!

Ela chutou enquanto eu continuava: — Se tivesse confiado em mim, eu teria te ajudado. Eu podia ter tratado da tua ferida, tomado a direção e pilotado a nave, preparado um kit médico para ti. — *Plaft!* — Ao invés disso, roubou o meu direito, como teu parceiro, de cuidar de ti. Colocou-se em perigo e aos homens pelos quais arriscamos nossas vidas para salvar. Você mentiu. — *Plaft!* — Nunca mais minta para mim.

Ela empurrou-me, mas era pequena, os braços não eram

suficientemente compridos para chegar ao chão. Com um rugido, rasguei o tecido transparente do corpo dela, o material fino se separou nas minhas mãos como papel, enquanto eu a puxava para junto de mim e batia de novo e de novo.

O silêncio reinou, quebrado apenas pelo som das palmas firmes no seu traseiro nu. Ela não chorou, discutiu ou implorou por clemência. Eu bati no seu traseiro até ele ficar vermelho vivo, até eu ouvir dela o que precisava ouvir.

— Desculpa, Dax. — A voz dela era um gemido de contrição. — Eu não devia ter mentido. Deveria ter dito a verdade e confiado em ti para me ajudar. Peço desculpa. Eu não quis te assustar. Eu realmente não percebi.

— Não percebeu o quê?

— O quanto... se preocupa comigo.

Ao ouvir as palavras dela, a minha vontade de continuar o seu castigo se dissipou e pousei a minha mão sobre a sua pele suave, acariciando-a, precisando tocar nela, saber que ela estava segura e curada e que era minha enquanto ficava quieta e aceitava o meu toque. — Você é a minha vida, Sarah. É tudo para mim.

Não querendo esperar por uma resposta à minha confissão, para ficar desapontada com a sua falta de sentimento por mim, levei a mão à minha direita e encontrei a pequena caixa exatamente onde a tinha deixado na cama. Mantendo-a no lugar com a mão estendida nas costas, retirei o aparelho sexual do seu lugar de repouso e peguei o lubrificante que precisaria para garantir o seu prazer. Eu a faria gozar até que ela não pensasse em mais ninguém, não desejasse nenhuma outra vida. Eventualmente, ela me amaria. Por ora, ela estava aqui, nua. Minha. E era o suficiente.

— Não se mexa. — Mal reconheci o rosnar da minha

voz, percebi que a fera não seria rejeitada, não desta vez. —
Você é minha.

— Dax? O que você está...

Com uma rapidez e precisão vindos da carência, coloquei o lubrificante e o dispositivo no seu cu apertado; a
visão do interruptor de controle saindo do traseiro dela me
fez mesmo rosnar.

— Minha. — Foi a única palavra que eu fui capaz de
falar no momento, a minha cabeça cheia daquilo, da necessidade de fodê-la, de tomá-la, de fodê-la novamente. Precisava do cheiro da boceta dela cobrindo o meu pau, precisava
dos seus gritos de prazer nos meus ouvidos, precisava da
sensação suave do seu corpo submisso sob as minhas mãos
e do cheiro da nossa união esfregada sobre a sua pele.

— Eu posso ser tua, mas por que enfiou essa coisa no
meu cu? — Ela contorceu-se e isso só fez o meu pau ficar
mais duro.

— Essa *coisa* serve para te dar prazer. Lembre-se, o meu
trabalho é te castigar, mas também te dar prazer.

Afastei as nádegas dela, inspecionando a colocação do
dispositivo de prazer, bem como as dobras brilhantes e
molhadas da sua boceta cor-de-rosa. Ela estava encharcada;
o cheiro chamava a fera em mim, era um cheiro que eu não
conseguia ignorar.

— Eu não preciso que ponha algo... *ali.*

Eu dei-lhe uma palmada gentil no seu traseiro já rosado.
— Precisa, sim. Da última vez, você adorou. Lembre-ee, nós
estamos acasalados e eu sei do que precisa. Você *precisa*
disto e eu vou te dar isso. — Bati no traseiro dela uma vez e
ela arfou. — Você vai adorar.

Num movimento rápido, levantei-lhe os quadris, rodei-
lhe o corpo para que o estômago dela ficasse pressionado

contra o meu, e levantei a boceta dela até os meus lábios ávidos. Ela gritou, suas pernas se agitaram por um momento antes dos joelhos pousarem nos meus ombros, mas eu ignorei o som, desesperado por prová-la novamente, para foder o seu núcleo com a minha língua.

Invadindo o corpo dela, recebi a transformação que senti fluir através do meu próprio corpo. As minhas células musculares rebentaram e transformaram-se, ficando maiores, mais fortes. As minhas gengivas recuaram e eu senti as pontas ferozes dos meus dentes enquanto lambia sua boceta da frente para trás, com força, girando a ponta apertada da minha língua sobre e ao redor do seu clitóris, uma e outra vez até que suas coxas se apertassem ao redor do meu rosto e ela gritasse, empurrando-me com mãos trêmulas.

Chupando o clítoris dela com a minha boca, rosnei, baixo e profundamente. Depois, alto. Tão alto que eu sabia que as vibrações dela provavelmente poderiam ser sentidas no longo corredor, e as reverberações atingiriam o seu clitóris como uma explosão de sonar, forçando-a a ir mais além.

Os gritos chorosos de Sarah agradaram-me enquanto sua boceta pulsava enquanto ela gozava. Enfiei a minha língua profundamente, montando a tempestade do seu orgasmo, acariciando as paredes internas do seu corpo com força e rápido, extraindo o seu prazer.

Quando terminou, fiquei de pé, balançando o seu corpo para cima e ao redor nos meus braços num círculo, até eu ficar com a sua boca sob a minha, os seus seios esmagados contra o meu peito, e a sua boceta apertada e molhada a meros centímetros do meu pau enorme.

Ela se afastou com um tremor e me olhou, desde o tamanho saliente dos meus ombros até as feições alongadas que eu conhecia, agora marcavam meu rosto. Eu esperava medo, choque, repulsa.. Mas os olhos dela simplesmente se alargaram e ela lutou para poder respirar. — Caramba, você é tão gostoso, Dax.

— Quando esta noite tiver terminado, você será minha. Estaremos unidos, juntos. A febre desaparecerá e tudo o que restará será eu e você. Será minha para sempre, Sarah. Eu nunca vou te deixar.

Os olhos dela brilharam ao ouvir as minhas palavras possessivas e eu assisti um arrepio sobre o corpo dela. Agitei-me com carência para libertar minha fera. Talvez ela a tenha sentido, pois, ela ergueu o seu queixo em tom de desafio.

— Torne-me sua, Dax. Você ainda está se contendo.

O suor escorreu do meu rosto para o peito dela e eu me inclinei para baixo para lamber a sua pele seca, para traçar o seu caminho entre os seus seios antes de voltar todo o caminho até o pescoço. Mordisquei-a ali, mantendo-a perfeitamente imóvel nos meus braços enquanto ela se contorcia para se aproximar.

— Eu não quero te machucar. — confessei. — Não sei o que a fera fará. — Estava com a coleira curta, puxando e se esticando para ser libertada, pronta para fodê-la com força.

— Você nunca vai me machucar. — Ela inclinou a cabeça para trás, dando-me... não, dando à fera o presente do seu pescoço exposto, da sua confiança.

Balancei a cabeça e apertei os meus olhos, fechando-os. Dar-lhe palmadas era uma coisa, mas eu nunca tinha deixado a fera à solta. — Não pode ter certeza.

— Dax. — ela sussurrou, depois, esperou que eu abrisse os meus olhos. — Eu tenho certeza. Você não vai me machucar. Tua fera também não vai me machucar. Estamos acasalados, lembra? *Você* pode saber que eu realmente gosto de ter um dispositivo no meu cu.

As bochechas dela coraram, ficando num cor-de-rosa brilhante de quem está admitindo alguma coisa.

— Mas *eu* sei que *nunca* me machucaria. — Ela engoliu em seco, lambeu os lábios e continuou: — Eu quero ela. Eu te quero. Eu quero os dois. Liberte-a, Dax. Eu quero conhecer a tua fera.

Esta foi a última vez que estive sob controle. Ao ouvir aquelas palavras, cedi, a fera se libertou e eu rugi. O meu pau latejou e pulsou, ficando ainda mais grosso, pronto para preenchê-la. Eu senti os meus músculos se mexerem novamente, o meu corpo aumentar com uma dor agonizante. Dentes afiados picaram o meu lábio inferior e eu pude sentir as minhas mãos mudar de curva e ângulo para que eu pudesse segurá-la melhor, mantê-la quieta enquanto a tomava. Não havia escapatória para ela.

— Dax.— Os seus dedos trêmulos traçaram os ângulos duros do meu rosto, mas a fera não sentiu o cheiro do medo, o que foi uma bênção. Eu estava além do ponto em que podia oferecer conforto ou aliviar as suas dúvidas. Minha fera estava agora em pleno comando, e só tinha uma resposta para tudo.

— Minha.

Ela agitou-se nos meus braços, querendo me beijar. — Sim. Eu sou tua.

A fera rosnou, mas gostou da resposta dela, tal como da pressão suave dos lábios dela junto aos meus. Caminhei sem dizer mais nada, levando-a para uma parede acolchoada onde sabia que poderia tomá-la como queria sem machucá-la. A fera sempre fodia de pé, nunca deitada, nunca baixava a guarda. Era a forma Atlan e o quarto estava preparado para isso.

— Minha.

— Sim. — As costas dela bateram na parede e eu puxei-lhe as nádegas, abrindo-as, abrindo a sua boceta molhada sobre a cabeça do meu pau.

— Minha. — Empalei-a contra a parede com um empurrão forte e rápido. Ela estava tão gostosa, tão molhada, tão apertada que quase explodi, o dispositivo no cu dela esfregava a base do meu pau a cada golpe. Minha existência se restringia a ela: aos seus olhos, ao seu cheiro, aos seus gritos suaves e à sua pele mais macia. A boceta molhada à espera de levar o meu sêmen. — Minha.

— Oh, Deus.— As palavras dela não agradaram à minha besta. *Eu* era o único deus dela agora.

— *Minha!* — A fera empurrou com mais força, o seu rosnado feroz e inabalável enquanto enterrava o meu pau o mais fundo possível na boceta dela. Mantendo-a no lugar com o meu corpo, levantei-lhe os braços sobre a cabeça e prendi as algemas aos fechos magnéticos no local sobre dela. Ela tentou abaixar os braços, depois, arfou enquanto eu levantava as pernas dela e mergulhava nela de novo e de novo, levantando os quadris dela mais alto na parede com cada empurrão.

Não desisti depois do seu primeiro orgasmo, fodendo-a mais forte e mais rápido enquanto ela gemia e gritava diante de mim. Eu podia fazer isso durante horas, e faria, até que minha fera estivesse satisfeita. Eu a fodia com força, os joelhos dela se dobraram sobre os meus cotovelos para que eu pudesse manter as suas pernas abertas, bem abertas. Com cada empurrão do meu pau, os seios dela balançavam e dançavam só para mim. Os olhos dela se fecharam, as linhas tensas de êxtase dobraram o rosto dela enquanto ela gozava de novo, enquanto a sua boceta se prendia ao meu pau como uma prensa. A vista era hipnotizante e eu sabia que seria capaz de matar para protegê-la. A minha lealdade pertencia apenas a ela, não ao rei ou ao país, não a nenhum planeta ou linha familiar. Eu lhe pertencia. Só a Sarah. — *Minha.*

Sarah gritou de prazer mais uma vez enquanto a fera bramia de alegria. Ia ser uma noite longa e Sarah ia adorar cada minuto. Agora, estaríamos verdadeiramente ligados, as nossas almas estariam profundamente ligadas. A natureza tomou conta e começou o processo de ligação, o cheiro de meus feromônios de ligação enchia o ar à nossa volta e eu puxei a cabeça dela para perto da minha pele, assegurando que ela respirasse no meu cheiro, marcando a sua carne, perfumando-a, tornando-a finalmente minha. A fera rosnou, concordado enquanto me cortava o peito.

arah

COM OS MEUS braços presos sobre a cabeça, um gigante que mal reconheci tomava-me de costas contra a parede, o cheiro forte de almíscar e do homem invadiram os meus sentidos até eu ficar enebriada pelo cheiro de sua luxúria, da sua carne. Ele puxou minha cabeça para perto de seu peito e eu esfreguei a minha bochecha ali, ansiosa para me divertir com o chamado do meu parceiro. Ele cheirava melhor do que qualquer colônia que eu já tinha imaginado. Ele tinha um odor feroz e dominante, seguro e meu. Mordi-lhe o peito, com força suficiente para atenuar a minha própria vontade de o marcar, de o tomar como ele me tomou. E, caramba, ele me tomava mesmo!

Quando eu ouvi o rosnar, soube que ele era meu. *Soube.* O fato de ter aguentado tanto tempo foi prova da sua força, mesmo com sua fera escondida, mas não mais. Ele era meu. A *fera* dele era minha.

Sim, fera. Aquela palavra já tinha me assustado bastante, por que, alô? Uma fera? Quando o rosnar dela praticamente arrancou um orgasmo de dentro de mim, eu sabia que ela se tinha libertado.

Ela se empurrou para dentro de mim e eu me entusiasmava com a tomada, o pau grosso que me enchia, a força desumana que me mantinha acorrentada para que ela me tomasse enquanto se empurrava para dentro de mim uma e outra vez, cada vez mais fundo até eu sentir que ela tinha se fundido dentro da minha alma, até eu saber que nunca a tiraria de lá.

Eu tinha me perguntado o que este momento traria. Ele agiria como um cão raivoso, espumando da boca? Será que ele seria como aqueles que se transformam em animais sobre os quais eu tinha lido em livros de romance? Será que ele ficaria louco e me machucaria?

Ele encostou suaa pélvis contra o meu clitóris e eu gemi de carência. Não. Ele nunca me machucaria. O conhecimento floresceu no meu peito mesmo quando ele segurou as minhas pernas abertas e mergulhou no meu núcleo, profundo e duro, esfregando a sua pele contra a minha, esfregando o seu cheiro em mim. Ele era maior assim, os seus músculos quase estouravam para fora da sua pele. Ele parecia irreal, como um herói das histórias e com os músculos salientes e as feições bem definidas, como se seu rosto também tivesse sido esticado. Os seus dentes pareciam mais longos, de um predador nato, capaz de arrancar a minha garganta tão facilmente quanto ele me provou lá agora, ao invés disso, os seus lábios e a sua língua me exploravam, fazendo-me tremer.

Este lado dele tornava-o simplesmente mais viril, mais masculino, mais *Dax* do que antes. A maneira como ele olhava para mim, eu sabia que ele me queria. Embora o seu monstro pudesse querer o meu corpo, eu também conseguia ver pormenores de Dax, e ele desejava-me. Tínhamos fodido, não, tínhamos feito amor antes, tínhamos mostrado um ao outro o quanto precisávamos um do outro pelo toque, pelo sentimento, pelo prazer, mas ele sempre se mantinha em xeque, escondendo de mim este lado da sua natureza. Mas já chega. Agora, eu teria o melhor de ambos os lados de Dax. O seu lado cauteloso, gentil e... este, o seu lado selvagem, também.

Dax ainda tinha o controle e enquanto ele prendia as minhas algemas à parede sobre a minha cabeça, e eu estava verdadeiramente à sua mercê, ele não me fez mal mesmo quando a fera assumiu o controle e me preencheu completamente. Ele acelerou o seu ritmo e eu gritei, arqueou os meus quadris à sua volta. Ele inchou dentro de mim, tornando-se ainda maior do que antes. Tão grosso e quente, um monstro que invadiu o meu corpo sem misericórdia ou pedidos de desculpa. Desloquei meus quadris para que ele entrasse totalmente. Ele não me machucava, mas tive que morder o meu lábio para manter o grito preso na minha garganta enquanto me ajustava ao alargamento adicional, à queimadura erótica da sua conquista, à dor dos seus punhos apertados no meu tenro traseiro deixando-me mais excitada, mais quente, mais selvagem.

O meu orgasmo percorreu-me e ele berrou enquanto ele próprio gozava, o seu pênis pulsava e movia-se dentro de mim, cobrindo as minhas entranhas com o seu sêmen quente. Ele ficou parado, a sua respiração ofegante enquanto me mantinha imóvel, esfregando a minha pele contra a dele, perfumando a minha carne e provando-me com seu beijo. Ele disse a única coisa que parecia ser capaz de dizer nesta forma e eu sorri. *Minha.* Vez após vez.

— Sim. — disse eu, lambendo os meus lábios. Ele recuou para olhar para mim, os seus músculos encolheram, o seu rosto voltou à forma que eu viria a adorar enquanto ele acariciava a minha bochecha com o seu polegar e se mantinha imóvel. Uma veia pulsou na sua têmpora e o suor escorreu pela lateral da sua bochecha enquanto a sua respiração acalmava, mas ele não me libertou do seu abraço. Ele não tirou o seu pênis de mim ou colocou as minhas pernas no chão. Eu permaneci como estava, presa à parede pelo seu membro, mantida no lugar para o seu prazer enquanto os seus olhos escuros percorriam o meu rosto e o meu corpo, inspecionando cada centímetro.

— Está bem?

— Eu estou ótima. — Ele não parecia tranquilo, portanto, acrescentei: — Eu queria, Dax. Eu queria a tua fera. — Comprimi as minhas paredes internas, apertando-o para enfatizar, chocada por descobrir que ele ainda estava ereto.

Seus olhos se iluminaram naquele momento enquanto ele sentia o meu gesto íntimo e moveu seus quadris, se empurrando novamente enquanto eu gemia. Ele gemeu de volta, mergulhando novamente, tomando a minha boca num beijo que arqueou as minhas costas para fora da parede, as minhas paredes internas ficaram ávidas por mais.

— Está mesmo bem? Eu não te machuquei? — ele rosnou.

Eu puxei as algemas só para ouvi-las fazer barulho, para me lembrar que não podia fazer nada além de me submeter e deixar Dax e o seu monstro fazerem o que queriam comigo. — Sim.

Esticando o meu pescoço, tentei forçá-lo a beijar novamente os meus lábios, tentei seduzi-lo apertando-lhe mais uma vez o pênis.

Ele beijou-me, com força. — Quer mais?

— Sim.

— Implore, Sarah. Diga o meu nome. Diga.— As palavras eram como um chicote, rápidas e afiadas.

— Dax, por favor. — Olhando-o nos olhos, continuei: — Por favor. Com força bruta. Uma e outra vez. Liberte-se, Dax. Deixe a fera livre. *Eu te quero.*

Ele olhou para mim uma última vez, depois, finalmente... finalmente, cedeu de vez. Eu amava-o ainda mais pela sua preocupação comigo, mas estava na hora de ele se libertar. — Sim, sim, eu acho que quer.

Então, ele tomou-me, com força e rápido. Não havia gentileza, nem ritmo para os seus golpes de mestre. Ele fodeu e fodeu completamente até que outra libertação derreteu o meu interior e eu me debati para respirar.

Eu pensei que ele tinha acabado, que certamente a febre tinha passado, mas não. Com mãos suaves, ele soltou os meus pulsos e me levou para a cama antes de me virar de bruços, colocando-me na posição que ele desejava. Ele deslizou uma almofada por debaixo de meus quadris e desviou o meu cabelo do meu rosto. Eu não conseguia me mexer, estava preenchida, saciada demais para fazer qualquer coisa além de permitir que ele fizesse o que queria.

— Está pronta para mais, Sarah? — A voz do homem tinha voltado completamente, o amante que eu reconhecia, o homem por quem eu daria qualquer coisa, pelo qual eu morreria para proteger.

— Dax. — Eu gritei só de pensar na ideia de ser tomada outra vez. Outro orgasmo intenso, outra oportunidade para ele dominar o meu corpo, o meu espírito. — Sim.

Ele passou as suas mãos enormes pelos meus braços, pelos meus ombros, descendo pela minha coluna. Só depois ele deslizou os seus dedos para baixo, entrando na minha vagina molhada.

— Aqui, Sarah. Eu te quero novamente. Sua fera está satisfeita, por ora. Mas com medo de termos te machucado.

— Eu estou ótima.

Ele acariciou o meu clítoris e moveu-se sobre a cama, tocando-me enquanto falava: — Eu preciso te tomar novamente. Vai deixar?

Apreciei o seu cuidado, mas às vezes uma garota adorava ser empurrada contra uma parede e fodida como se fosse a mulher mais bela, irresistível e desejável do mundo. — Dax, você e sua fera podem fazer o que quiser.

Ele riu, depois, inclinou-se sobre mim, ligando as vibrações no tampão do traseiro como tinha feito naquela primeira noite. Eu gemi com a carência enquanto as novas e diferentes sensações despertavam o meu desejo mais uma vez. Ele levantou os meus quadris da cama e deslizou atrás de mim para se ajoelhar entre eles, puxando o meu traseiro para o alto no ar. Ele me deu uma palmada acentuada no traseiro ainda dolorido e eu arfei, chocada enquanto o calor queimava as minhas partes internas. Antes que eu pudesse reagir, ele bateu no outro lado e o calor correu até o meu clítoris. Eu estava prestes a implorar para que ele me enchesse quando finalmente puxou-me para trás e para cima, entre as suas coxas enquanto enfiava o seu pênis bem fundo, por trás.

Ele se moveu lentamente, apertando o meu traseiro

dolorido, puxando os meus lábios vaginais e abrindo-os, explorando a nossa ligação íntima com as pontas dos dedos grandes e bruscas, abrindo-me enquanto ele deslizava dentro e fora do meu núcleo, completamente aberto para que ele o inspecionasse enquanto via o seu pênis deslizar no meu corpo. O meu rosto foi pressionado contra a roupa de cama macia, as minhas coxas abertas, o meu traseiro e a minha vagina eram dele para que ele dominasse... e eu deixei. Eu rendi tudo, satisfeita em ser tomada. Eu nunca tinha me sentido tão poderosa quanto naquele momento. Poderiam ter passado cinco minutos ou uma hora, eu perdi a noção do tempo enquanto ele entrava e saía do meu corpo com controle deliberado, apostando mais uma reivindicação. Se o monstro tinha me tomado alguns minutos atrás, Dax, o homem, tomou-me agora. Este era o meu companheiro, o meu parceiro. Ele meteu as mãos entre nós para esfregar o meu clítoris, tirando o dispositivo do meu cu ao mesmo tempo, fodendo-me gentilmente com aquilo também. Eu sabia o que ele queria. Ele forçaria mais prazer no meu corpo já sensível, ele iria exigi-lo e eu lhe daria o que ele precisava.

— Goze para mim, Sarah. Goza agora.

O meu corpo respondeu como se tivesse a deixa, o orgasmo passando através de mim enquanto o suave labirinto de prazer escapou da minha garganta. Ele derramou o seu sêmen em mim quando gozei, e eu me sentia como uma deusa, uma deusa sexual bela e desejável que tinha acabado de domar uma fera.

———

Acordei envolta no abraço de Dax, o corpo dele moldado ao meu – com as minhas costas contra a parte da frente do corpo dele. Eu conseguia sentir tudo nele, cada centímetro do seu corpo nu de forma protetora ao meu redor. Ele dormia pacificamente e eu me sentia como se tivesse conquistado o mundo, feliz por a fera dentro dele estar finalmente satisfeita. Agora, não estávamos apenas acasalados, mas unidos; o seu cheiro me rodeava, emanava da minha própria carne e me fazia sentir segura, abrigada, como se eu pertencesse. Eu estava dolorida, deliciosamente dolorida entre as minhas pernas. Um saco congelado de ervilhas vinha a calhar, pois, embora Dax tivesse sido tão atencioso quanto podia, o seu pênis era... substancial e ele não tinha sido propriamente gentil.

Sorrindo, deixei que as memórias da última noite passassem pela minha mente. Ele tinha sido exigente, dominante, e eu não queria que fosse de outra forma, estava grata pela dor persistente que me impedia de esquecer o poder de Dax, a selvageria que espreitava dentro dele. Eu vi o brilho de uma das minhas algemas, notei que elas combinavam com o pingente ao redor do meu pescoço, e suspirei de contentamento, sabendo que eram as únicas coisas que enfeitavam o meu corpo. Levantei o meu braço para poder olhar a algema. Toquei-a, senti o metal quente e liso, tracei o seu desenho com a ponta de um dedo, a minha mente, uma súbita saliência de curiosidade. Eu não fazia a mínima ideia de que era feita: ouro, titânio ou outro tipo de mineral de Atlan. A sua comodidade, outrora uma maldição, era agora uma lembrança feliz e muito óbvia da nossa profunda ligação.

Tracei o padrão repetidamente enquanto pensava na incompetente mulher humana, a Guardiã Morda, a hamsterzinha, e como o seu erro tinha me conduzido até aqui, a esta felicidade nos braços de um homem que eu amava. Dax era honrado e corajoso, dominador e viril. Ele era forte o suficiente para que, pela primeira vez na minha vida, eu me sentisse segura ao me apoiar num homem, dependendo dele para conforto, cuidado e amor. Eu estava acasalada com um alienígena a um bazilhão de quilômetros de distância da Terra, e me sentia mais livre do que jamais tinha sido antes. Livre para ser eu mesma, para dançar, para me maravilhar e sonhar. Livre para me apaixonar e parar de lutar por dinheiro, respeito, sobrevivência. Anos de tensão e preocupação foramse graças ao Warlord de Atlan que dormia ao meu lado.

— Pode tirá-la agora. — murmurou Dax.

Fiquei quieta ao ouvir as suas palavras. Eu não queria tirá-las; elas marcavam-me como sendo sua parceira. Eu não queria que alguém alguma vez questionasse a nossa ligação. Ele era meu. Será que eu tinha me enganado? Agora que a sua febre de acasalamento tinha desaparecido, será que ele planejava afastar-se de mim? De nós? Ele poderia viver uma vida longa e feliz com alguma mulher mansa e tranquila de Atlan. Será que eu tinha cumprido o meu propósito? Será que aquilo era tudo o que eu era para ele, um meio para atingir um fim e, agora, podia ser descartada?

O pensamento era como uma faca espetada no meu coração e eu percebi o quanto eu tinha me apaixonado de verdade. Eu o amava bastante, com cada grama de fogo e paixão no meu corpo. Eu tinha entregado tudo ontem à noite, de coração e alma, e era tarde demais para tentar tomar tudo de volta.

— Vire-se para mim, Sarah. Eu te ajudo a tirá-las.

— Eu não tinha percebido que estava acordado. —

comentei ao invés disso, desviando a minha cabeça para que ele não visse o quanto as suas palavras tinham me magoado e inquietado.

— Mmm. A tua respiração mudou. Está triste. — A sua mão enorme viajou até a curva de meu quadril e cintura como se ele estivesse acalmando um animal selvagem. — O que te preocupa?

Encolhi-me, mantendo minhas costas contra ele, insegura quanto ao que eu veria no seu rosto se eu me virasse nos seus braços, incapaz de suportar o pensamento de que eu poderia ver desinteresse ou arrependimento. — Nada. Volta a dormir. — Eu podia esgueirar-me se ele já não precisasse de mim. Certamente alguém na casa principal poderia me ajudar a tirar as algemas. Eu deixaria-as para a sua nova noiva Atlan, a mulher calma e serena que ele realmente queria.

O deslizar suave de sua mão se transformou numa dor aguda no meu traseiro nu e eu gritei enquanto ele me virava para enfrentá-lo. — Está mentindo para mim outra vez. Pensei que tivéssemos falado sobre isso.

Determinada a manter a pouca dignidade que me restava, retive as lágrimas que me ardiam nos olhos e estudei o seu belo rosto. Ele parecia verdadeiramente tranquilo pela primeira vez desde que eu o conheci, a calma que o fazia parecer mais jovem, menos feroz. Um pequeno sorriso ergueu-se no canto de sua boca enquanto ele se inclinava para frente e me beijava uma vez, suavemente, antes de me puxar para trás com as sobrancelhas levantadas. — Vai me dizer o que te incomoda ou quer levar mais palmadas?

— Eu...

— Eu conheço cada pedaço de ti, Sarah, tal como me conhece. Não há segredos entre parceiros.

Passei o meu dedo pela sua bochecha. — Uma garota tem que ter alguns segredos.— rebati.

Ele agarrou-me o pulso diretamente sobre a algema.

— Comigo não. Esta algema, já cumpriu o seu propósito. Libertou-te da Aliança para que pudesse ir atrás do teu irmão e vir até Atlan, comigo. Manteve-nos juntos até que a febre passasse, mantendo minha fera em xeque até que fosse seguro libertá-la. Agora... agora, já não são necessárias.

Eu franzi a testa então, surpreendida por ele falar tão diretamente para os meus medos. — Está dizendo que *eu* já não sou necessária? — A pontada de dor espalhou-se desde o meu coração, passando pela minha garganta até a minha cabeça, onde se alojou atrás dos meus olhos, com um aperto implacável e ardente. Lágrimas se reuniram e eu não pude impedi-las de jorrar pelas minhas bochechas.

Dax mexeu-se no seu travesseiro e levantou uma mão para pegar na lágrima perdida com a ponta do seu dedo. — Mulher, você é verdadeiramente louca. Eu já disse as mesmas palavras uma e outra vez. É a minha parceira. Minha. Quantas vezes eu o disse ontem à noite? Que você. É. Minha. Eu não vou desistir de você. Não vou te deixar partir. Nunca. Não me importa se usa algemas ou não, você é minha. Sempre será minha. Eu me apaixonei por você. Não vou permitir que se livre de mim.

— Então, por que... por que quer que eu as tire?

Ele envolveu as suas mãos enormes ao redor das algemas e puxou-as para frente, para as colocar sobre o seu coração. — Quero que fique ao meu lado porque quer, não porque umas algemas te obrigam a fazê-lo.

Minha fera enorme endurecida pelos combates. Eu

envolvi o seu queixo determinado e sorri, permitindo que todo o amor que eu sentia por ele brilhasse de forma resplandecente nos meus olhos. — Eu te amo, Dax. Não sei como é possível depois de tão pouco tempo, mas é verdade. Eu te amo. E depois do que fizemos ontem à noite, acho que não tem de se preocupar quanto a eu ir para longe. Eu vou querer que tua fera me tome novamente... muito em breve.

Envolvendo a parte de trás da minha cabeça, ele beijou-me lentamente, como tinha feito há algumas horas. Quando ele finalmente se afastou, havia um brilho nos seus olhos que eu nunca tinha visto. — Então, só me quer pelo meu pau? — ele provocou-me.

— Mmm. Sem dúvida. Eu quero tudo em ti. — Engoli o meu orgulho e o meu medo e disse-lhe exatamente o que eu queria: — E, eu quero manter as algemas.

Os olhos dele se arregalaram, surpresos. — Isso significa que nunca vai poder sair de perto de mim, nunca poderá partir em aventuras selvagens. Terá de estar ao meu lado, perto, sempre.

Encolhi os ombros, tentando agir casualmente quando ele descreveu aquilo que soava como o paraíso para mim. — Não é isso que os parceiros Atlan costumam fazer?

Ele acenou afirmativamente. — Sim, mas eu não me atrevi a pensar que concordaria com isso.

— Não quer que eu fique perto de você?

— Sempre. — A palavra foi uma promessa, e a sinceridade por detrás dessa palavra chocou-me profundamente, pois, as lágrimas caíram dos meus olhos por uma razão completamente diferente.

Tracei os seus lábios com a ponta dos meus dedos, fazendo uma pequena provocação, numa tentativa vã de esconder o quanto a sua promessa me afetou profundamente. — Não queremos que aquele monstro grande e mau saia para brincar sem mim por perto.

Ele rebolou sobre mim e eu me deitei, feliz por abrir as minhas pernas para ele, para o calor duro do seu pênis. Ele pressionou-me contra a cama, o membro duro deslizando lentamente para dentro do meu corpo aceso enquanto eu despertava, quente, molhada e pronta para ele. Enterrado bem no fundo de mim, ele se segurou pelos antebraços para que eu só pudesse ver o seu rosto, só podia olhar nos seus olhos escuros enquanto ele me enchia, se movia, me fazia suspirar de prazer enquanto eu envolvia as minhas mãos ao redor do seu pescoço e as minhas pernas, ao redor de seus quadris, puxando-o para mais perto.

— Dax, temo que essa sua fera tenha um problema terrível. Ela tem de ser domada.

Dax abaixou a cabeça e beijou-me como se eu fosse a coisa mais preciosa do seu mundo, e quando ele falou a seguir, eu acreditei em cada palavra.

— Não, parceira, você já domou os dois.

LIVROS POR GRACE GOODWIN

Programa Interestelar de Noivas

Dominada pelos Alfas

Alfa Escolhido

Unida aos Guerreiros

Reivindicada Pelos Alfas

Levada pelos seus parceiros

Unida com a Fera

JUNTE-SE À BRIGADA DE FICÇÃO CIENTÍFICA

Está interessado em se juntar ao time Não-tão-Secreto-Sci-Fi (not-so-secret Sci-Fi Squad)? Receba trechos de livros, divulgações de capas e notícias antes de qualquer outra pessoa. Faça parte do grupo fechado do Facebook, no qual são partilhadas imagens e notícias divertidas.

JUNTE-SE aqui: http://bit.ly/SciFiSquad

Todos os livros de Grace podem ser lidos como romances independentes, portanto, não tenha medo de mergulhar numa das suas aventuras sensuais. Os seus finais felizes estão sempre livres de traições porque ela escreve sobre machos Alfa e não sobre idiotas Alfa. (Isto vocês conseguem perceber). Mas tenham cuidado... Porque ela gosta de heróis sedutores e gosta ainda mais de cenas de amor. Foram avisados...

CONTACTE A GRACE GOODWIN

Boletim Português:
http://ksapublishers.com/s/11i

Página Web:
https://gracegoodwin.com

Facebook:
https://www.facebook.com/gracegoodwinauthor/

Twitter:
https://twitter.com/luvgracegoodwin

Instagram:
https://instagram.com/grace_goodwin_author

Não perca nada! Inscreva-se em
http://ksapublishers.com/s/11i
para estar na lista VIP de leitores da Grace.

SOBRE A AUTORA

Grace Goodwin é uma autora internacional de bestsellers de romance de Ficção Científica e Paranormal. Acredita que todas as mulheres devem ser tratadas como princesas, dentro e fora de quatro paredes, e escreve romances nos quais os homens sabem como fazer a mulher sentir-se mimada, protegida e muito bem tratada. Detesta neve, adora montanhas (sim, o problema é mesmo esse) e gostaria de poder simplesmente fazer o download de todas as histórias que estão na sua cabeça ao invés de ser obrigada a escrevê-las. A autora vive no lado oeste dos Estados Unidos e é escritora em tempo integral, uma leitora ávida de romances e assumidamente viciada em café.

Boletim Português:
http://ksapublishers.com/s/III

Newsletter:
http://bit.ly/GraceGoodwin

Página Web:
https://gracegoodwin.com

CPSIA information can be obtained
at www.ICGtesting.com
Printed in the USA
BVHW070515230221
600782BV00004B/225